KB195905

꽃에 씌어 산다

문학들 시인선 002

한승원 시집

꽃에 씌어 산다

문학들

시인의 말

칼은 새하고 같아서,

너무 힘껏 움켜쥐면 죽고 너무 느슨하게 잡으면 날아간다.

하고 칼을 쓰는 자가 말했는데, 시도 그러하다고 배웠다.

시를 너무 힘껏 움켜쥐면 시도 죽고 시인도 죽고

너무 느슨하게 쥐면 시도 날아가고 시인도 날아간다.

시로써 달빛을 자르고 시로써 꽃도 자르고 해도 달도 별도 자르고

신과 나의 목도 자르고, 그림자도 심장도 잘라야 한다.

시는 검처럼 양날을 가지고 있는데

한쪽은 죽이는 날殺人刀이고 다른 한쪽은 살리는 날活人劍이다.

그리하여 얼마 전부터

꽃에 씌어 산다.

석가모니가 연꽃을 들어보였을 때 가섭이 그랬듯

꽃을 보면 가슴으로 웃는

병이 들었다 무녀가 신에 씌어 작두를 타듯 꽃에 씌어

꽃의 시퍼런 작두를 탄다.

해설을 써준 고재종 시인에게, 시집 예쁘게 만들어준 '문학들'의 식구들과 송광룡 시인에게 감사한다.

2019년 초가을 해산토굴 주인

한승원

차례

제4부 허공이 하는 말

제1부

날아오는 화살촉을 먹는 눈

사막을 흐르는 홀로그램의 시간

사막을 건너가는 늙은 낙타는, 일렁이는 강물 같은
신기루가 눈을 어지럽히고 모래바람이 몰아치면
바위를 산정으로 굴리고 올라가는
늙은 시지포스 노인이 된다
눈이 침침하고 다리가 천근만근이지만
흰 옷 입고 코와 입을 수건으로 가린
어리 미친 주인을 등에 태우고 가는 늙은 낙타는
당장 주저앉아 죽음처럼 깊은 잠으로 미끄러지고 싶고
한 마리 나비가 되어 허공으로 날아가고 싶지만
아직은 인내하며 더 가야 한다
맑고 차가운 물로 목욕하고 포도주 마시고
집시들과 더불어 달과 춤과 노래와 사랑을 즐기려고
오아시스를 찾아가는 주인을 위하여 사력을 다해야 한다
해는 지평선에 머물러 있고
희번한 듯 불그죽죽한 백야가 시작되는데

나는 왜 꽃을 보면 소가지가 없어질까

나는 왜 꽃을 보면 열여섯 살 소년처럼
소가지가 없어지고 가슴이 설렐까
나는 왜 꽃을 보면
니체의 차라투스트라*를 닮은
도깨비 한 놈을 옆에 끼고 살고 싶어질까
나는 왜 꽃을 보면
아슬아슬한 벼랑의 꽃을 꺾어 수로부인에게 바치며
헌화가를 읊조리고 싶어질까
나는 왜 꽃을 보면
백수광부처럼 술병을 허리에 차고 강을
건너다가 빠져 죽은 다음
임이여 그 강을 건너지 마오,
노래로 불리고 싶어질까
나는 왜 꽃을 보면 해변의 묘지 앞의 폴 발레리처럼
바람에 펄럭거리는 책장 같은 파도를 넘기며
살기 위해 분투하고 싶어질까
나는 왜 꽃을 보면 노을이 핏빛으로 타오를 때
파우스트처럼 악마에게 영혼을 담보하고
또 한 생의 젊음을 받는 거래를 하고 싶어질까

나는 왜 꽃을 보면 포도주에 취하여

프로메테우스처럼 독수리에게 간을 쪼아 먹히고 싶어질까

* 니체의 저서 『차라투스트라는 이렇게 말했다』의 주인공. 차라투스트라는 "나
 너희들에게 위버멘쉬(ubermensch)를 가르치노라."하고 사람들에게 외쳤다고
 기록되어 있다. 위버멘쉬를 일본 학자들은 '초인(超人)'이라고 번역했지만, 이후
 많은 번역자들은 거기에 동의하지 않는다. 나도 젊은 시절에 초인이라고 번역
 된 책을 읽은 바 있다. 니체는 반역사적인 퇴행의 길을 가고 있는 오늘날의 인
 간에게 인류의 미래를 맡길 수 없다는 판단에서 '새로운 유형의 인간'을 제시했
 는데, 그 인간의 유형이 위버멘쉬인 것인데, 우리 말로는 마땅하게 번역할 말이
 없다고 번역가들은 말한다.

날아오는 화살촉을 먹는 눈

해방되던 해의 한여름
이웃 대밭집의 여덟 살 형과 여섯 살짜리 동생은
대나무로 만든 활과 화살을 가지고 아주
특별한 놀이를 했는데,
연통煙筒처럼 말아 놓은 멍석의 어둠 담긴 터널
이쪽에서 형이 쏘면 동생은 저쪽에서 기다렸다가
춤추며 날아오는 화살촉을 주워 형에게 건네는 놀이를
하다가
문득 동생이
"성아, 화살이 어떻게 날아오는지 여기서 보께 쏘아 봐."
그래서 형이 쏘았는데 저쪽 터널 입구에서 들여다보던
동생의 한쪽 눈이 날아오는 화살촉을 받아먹고
이후에 많은 아픔의 세월을 애꾸로 살았는데
동생에게 그 화살촉은 무엇이었을까
어떤 새였을까, 무한 허공을
꿈틀대며 날아다니는 빛줄기였을까
회오리치는 환영幻影이었을까
요즘 자꾸 허공으로부터 알 수 없는 화살촉이 날아오고
내 눈은 그것을 삼키는데, 나는

16

늘 애꾸가 되어 산다, 알 수 없는 홀로그램 빛살 꿈을
꾸는

푸른 하늘과 함께 씹어 먹어라

물도 씹어 먹어라,
한여름 우물가로 다가와 물을 청한 성마른 미청년에게
바가지의 물에 버들잎을 한 줌 훑어 띄워 준 처녀의
단단히 여민 옷섶 속에 숨은 볼록한 흰 젖 같은
수줍은 사랑처럼
물도 씹어 먹어라,
물에 얹히면 미꾸라지밖에는 약이 없단다
사랑도 씹어 먹고 시도 씹어 먹어라
사랑에 얹히면 그것을 뚫어 주는
사랑의 미꾸라지밖엔 약이 없고
시에 얹히면 시의 미꾸라지밖엔 약이 없다
새들이 물을 마실 때 고개를 수직으로 쳐들고
하늘과 함께 숭엄하게 마시듯
사랑도 시도 죽음도 신성神性도 씹어 먹어라
푸른 하늘과 함께 씹어 먹어라

시의 여신이여 축복해 주소서

시의 여신이여 축복해 주소서,
욕조의 따끈한 물에 들어앉아 눈을 감는데
내 영육을 들락거리는 들숨의 결과 날숨의 결이
덥혀진 가슴과 등허리, 머리끝 발끝 손끝의 살갗으로
귀뚜라미 소리처럼 여울여울 물살을 짓고, 모든
살갗의 털구멍에서 아뢰야식의 싹눈胚芽들이
꼭두새벽의 목탁 소리처럼 솟구치는데
온몸이 푸르러지고 잎이 피어나고 꽃대가 자라고
그 끝에서 꽃송이들이 피어나는데
꽃잎에서 솟은 향기가 나선을 그리는데
별들이 잉잉거리며 꿀을 빠는 벌 떼처럼 날갯짓하고
새 우주 만다라가 무지개 같은 시어로 날갯짓하는데
가슴이 뛰고 숨이 가빠지고 콧구멍이 커지고 있는데……
시의 여신이여 축복해 주소서, '윽!' 하며 복상사하는 내
넋을

시가 환장하게 잘 써지는 밤에

식은땀 흐르는 몸살과 무기력과 현기증을 동반한 부정맥을
심하게 앓는 날 한밤중의 꿈인 듯 꿈 아닌 듯 어지러운
머리에 떠오른 시 한 구절
'진보라색 허공의 수런거리는 별들 사이에 부산스럽게
상형문자 같은 발자국을 찍어 남기려 날아다니는
무당새 한 마리'
박차고 일어나 어둠 속에서 그것을 메모하는 순간 허공이
'그렇다 그 검은 깃털의 무당새가 바로 너다'라고 속삭였고
내 영육은 흰 여체 앞에서 고개 쳐든 유혈목이처럼 발기했
다가
진저리 치며 지하계단 아래로 오르가즘처럼 미끄러졌는데,
오래전 한 출판사의 책을 만들어 주며 밥을 빌어먹던
후배 시인 박정만은 광주를 피로 물들인
잔혹한 군정독재자를 신문의 소설 속에서
빈정거린 한 작가의 책을 내느라고
한두 차례 만났다는 이유로 그 작가와 함께
캄캄한 지하실로 끌려가 배후를 캐려는
고문을 당하고 나온 다음부터
감당할 수 없는 환청환각에 시달리며

날마다 밤마다 소주만 마시며 살아간다고 소문이 났었
는데,

어느 꼭두새벽녘에 나에게 전화로

"형님 저 오늘밤까지 시 삼백육십 편을 썼는데요, 시가
환장하게 미치도록 잘 써지는데, 이게 무슨 현상일까
요?"

하고 나서 건들바람처럼 서글프게 웃었는데, 그 이튿날
간경화로 죽었다는 부음이 왔었는데, 지금
식은땀 흐르는 몸살 속에서 나를 진저리 쳐지게 하는
시가 줄줄 써지는 나의 이것은 무슨 현상일까

모두가 제 이름을 부르며 논다

여닫이 연안바다 모래밭에 누군가가
'하늘'이라고 수놓아 두었다
흰 조개껍질과 알락달락한 조개껍질로

아마도 그게 제 이름일지도 모른다

농로를 타고 집으로 돌아오는데 청산에서
뻐꾸기가 뻐꾹뻐꾹 제 이름을 목청껏 불러 대고
갈대밭의 개개비들도 개개비, 개개비 제 이름을 부른다

토굴로 들어서자, 오래전
선암사 기념품 가게에서 사 온 암갈색 목탁의
소리 울림 구멍 속의 검은 어둠도
물방울을 주렁주렁 단 채 욕실의 거울 속에 투영된
내 몸의
콧구멍 속의 까만 어둠도
어둠, 어둠, 하고 제 이름을 부른다

내치려 해도 내쳐지지 않는

내 몸통 목탁 구멍을 울리는 탐진치貪瞋痴의

슬픈 어둠

미망迷妄

각시거미

여름철 꼭두새벽녘이면
늙은 시인은 동녘 하늘의 샛별을 등진 채, 토굴로 가는
동백나무와 호랑가시나무 사이의 자드락길을 들어서다가
얼굴에 거미줄을 덮어쓰고 뒷걸음질을 치곤 하는데

온몸에 붉은 반짝이 무늬가 점점이 박힌 풀색 옷차림의
각시거미들은 밤이면
별들의 운행을 포착하기 위해 사진작가가
카메라 삼각대를 창공을 향해 설치하듯
흐르는 기류 따라 나는 모기나 나방이나 하루살이나 파
리로
배를 채우기 위해 끈적거리는 집을 짓곤 하는데
늙은 시인이 허공에다 시를 쓰듯
그런데 그 늙은 시인이 자기의 시 같은 그 집에
포획되곤 하는 것인데
진정으로 잘 잡는 방법은
그물을 치지 않고 잡는 것일 터인데*
진정으로 잘 쓴 시는 투망 않고 별들을 포획하는 것일
터인데,

* "잘 가는 걸음은 자국을 남기지 않고…… 잘 잠그는 사람은 문빗장 없이도 열
지 못하게 하고, 잘 묶는 사람은 밧줄 없이도 풀지 못하게 한다(善行無轍迹…
善閉無關鍵 而不可開 善結無繩約 而不可解)." – 노자 『도덕경』「교용(巧用)」편

그날 한낮에

그날 한낮에 낮잠을 자다가
토굴 바깥이 시끌벅적하여 창밖을 내다보았는데
잔디마당에서 고등학교 남녀학생 스무 남은 명이
한쪽은 잡으려고 쫓아가고 다른 한쪽은 달아나며 깔깔
거리고
핸드폰으로 서로의 사진을 찍어 주고 탑 앞의 오줌 누는
소년 석상의 고추를 들여다보며 으악 하고 소리치고……
아차, 그들에게 오늘 강의하기로 약속했는데 내가 깜빡
했을까
연두색의 신록 같은 그들에게
천강을 밝히는 달을 길어 가게 해 주어야 한다고
낮잠으로 가라앉은 몸을 일으켰는데
갑자기 창밖이 조용해졌다, 무슨 일일까
현관문을 열고 나갔는데 마당에는 흰 햇살만 쏟아진다
그 사이에 모두 어디로 갔을까
토굴 입구의 감자밭에서 북을 주는 아줌마에게 물었다
우리 마당에서 놀던 학생들 다 어디로 가더냐고
아줌마가 도리질을 한다, 못 봤는디라우?
나는 의심한다 아줌마가 일에 정신이 팔려 못 본 게 아

닐까

그들이 타고 온 버스가 한길 가에 서 있지 않을까, 하고
내려다보았지만 거기에도 하얀 빛너울만 일렁인다
내가 꿈을 꾸었나 보다, 하고 생각하며 토굴로 들어가다가
소스라쳤다 아, 오늘이 4월 16일, 그 배가
바다에 가라앉은 그날이다 나는 토굴 천장을 쳐다보며
내내 누워 있었다

그날 밤 아홉 시 뉴스를 보다가

한쪽은 핵단추가 자기 책상에 있으니 한 방에
날려버리겠다고, 다른 한쪽은 장거리 미사일에 핵을
장착해 쏘아 불바다로 만들어 버리겠다고 으르렁대던
두 사람,
식민지 한반도를 남과 북으로 갈라놓은 반쪽 책임이 있는
세계 최강 군사대국인 미국의 대통령이
분단 한반도를 공산주의 국가로 통일시키겠다고
육이오 전쟁을 일으킨 자의 손자인 북한 국방위원장과
핵 해결 담판회담의 장소와 날짜를 확정해 발표한 그날,
전쟁 공포에 시달리고 사는
제발 그들의 만남이 잘 성사되기를 바라는 남한의
케이비에스가 밤 아홉 시 뉴스 속으로
오래전에 비무장 지역에서 지뢰폭발로
두 다리를 잃은 젊은 남자를 불러냈는데
그 두 다리는 로봇인간의 다리 같은 독일제 의족이었는데
다음 해 일본 패럴올림픽에서 금메달을 딸 계획이라며
아직 덜 아문 상처의 치유와 재활과
강한 몸을 만들기의 고된 운동을 하고
조정경기장에서 노 젓는 훈련에 매진한다는데

두 다리를 잃은 장애를 극복하겠다는 그의 표정에
나는 내 온몸에 소낙비 소리 같은 소름이 돋았고
그날 밤 잠을 설쳤다 과연 이 땅에서 핵을
없었던 것으로 하고 오순도순 서로 도우며 살 수 있을까
나도 대동강 물놀이와 금강산 관광을
할 수 있을까 북한 땅을 거쳐 백두산
천지에 오를 수 있을까
장흥역에서 기차를 타고 시베리아를 거쳐
런던과 파리와 로마를 다녀올 수 있을까

희망

그것은 무지갯빛 씨앗이다
거듭되는 실패로 인한
동짓달 긴긴밤의 터널 같은 절망 속에서
엎치락뒤치락하며 그리운 가슴에 서리서리 담기는
기다림의 속살 같은

그렇다, 그것은 거듭나기, 또 하나의 창세기의 빛이다
캥거루의 자궁에서 갓 나온 핏덩이 새끼가
아기주머니 속의 젖꼭지를 찾아 털의 숲을 헤치며 나아가는
썩은 댓잎 쌓인 땅에서 뾰조롬히 얼굴을 내미는
왕소나무 씨앗의 앙증스러운 눈芽 같은 그것은

샛바람에 쫓겨 온 검은 구름장들이
목마른 대지와 결핍으로 시달리는 자들의 도시에
빗줄기를 퍼붓기 위해 어차, 어차
황진이에게 달려가는 서화담의 펄럭이는 도포 자락처럼
들판을 건너고 산을 넘어 달리며
또다시 한 번 해 보자고 천둥처럼 울려 주는

모든 죽어 가고 있는 것들의 차가운 가슴에 작은
흰 물새 같은 손을 얹어 새 숨을 터 나게 해 주는
여신의 뜻이다

심경心經을 읽다가 1

그해 초겨울의 어느 날 해거름에
바닷가 독살이 암자에 사는 아직 젊은 피 끓는 스님의
암내 낸 소를 향해 으응, 으응 용을 쓰며 돌진하는 황소 같은
무소차를 타고 해남의 고천암 방죽으로 갔는데,
가면서 그 스님은
자기는 해남海南을 해남解檻으로 읽는다고
정태춘의 떠나가는 배의 해남이 그 해남일 거라고
혼잣말을 했는데, 나는 그냥 웃기만 했는데,
타오르던 노을이 꺼지고 내 저승꽃 빛깔의 땅거미가 내리자
수면에 놀던 가창오리 수만 마리가 불그레한 은색 하늘로
일제히 날아올라 나선螺線무늬의
바람을 우르르 와르르 일으키는 서슬에
나는 넋이 빠진 채 몸이 어는 것도 몰랐는데,
함께 간 스님의 행동거지나 표정을 읽을 새도 없었는데,
돌아와서 욕조에 뜨거운 물을 받고 언 몸을 녹이는
내내 한없이 궁금했다
가창오리 수만의 개체들은 왜 황혼 꺼지고 땅거미가 내

리자
　미친 듯 그렇게 집단원무를 추었을까 그들은
　왜 저무는 불그레한 은색 하늘에
　거대한 태극 문양의 만다라를 그렸을까
　해남海南을 해남解纜으로 읽는다는 게 무엇일까

심경을 읽다가 2

발정한 암소를 향해 응 으응 소리치며 달리는 황소 같은
검정색 무소차를 몰고 다니던 아직 젊은 피 끓는 스님은
"달을 보라면 달을 볼 일이지 왜 손가락은 보느냐."는 원
각경을,
원효를 형상화하느라 분주한 토굴 늙은이에게 가져다주
었는데,
다음 해 여름 폭염 때 암자 뒷산 소나무 가지에 매달려
육탈하고 해탈하고 입적했다.
혼자가 되어 있을 때 우울을 이기려고 독한 술을
홀짝거리곤 하다가 중독이 된 듯싶다고 고백한
그 스님을 위하여 내가
"한여름에 토굴마당의 풀을 예초기로 깎고 샤워를 하면
온 세상을 다 얻은 듯 상쾌하고, 한겨울에
토굴 앞 양지에서 햇볕을 쬐면 그렇게 따뜻할 수가 없어요.
나 혼자서만 누리는 그 상쾌함과 따스함을 누군가하고
나누고 싶은데 그럴 사람이 없어요."하고 말했는데,
그 스님은 어리광하듯
"에이 선생님 그건 누구든지 다 그래요."했으므로,
내가 짜증스럽게 손에 잡혀 주듯이,

"제 말은, 나에게 주어지는 행운이라는 것들이 다른
사람에게도 다 주어지는 것일지라도 오직 나에게만
주어진 신의 호혜라고 생각하며 살아야 한다는 것입니다.
제가 지금 번데기 앞에서 주름 잡고 있습니까?"
했는데 그 스님은 문득 눈물을 줄줄 흘리면서
엎드려 삼배를 했는데, 바로 그때, 아니,
가창오리의 군무를 보러 가면서 그 스님이
자기는 해남海南을 해남解纜으로 읽는다고
허튼 소리를 했을 때 그 스님의
구름에 가려진 달을 알아챘어야 했는데,

크림반도의 왕릉이 수상했다

진한 청남색 흑해의 크림반도에 갔는데
기원전 4세기에 축조된 것으로 추정된다는 왕릉이
높이 5십 미터의 거대한 여신의 젖무덤 모양새였는데
한 매부리코의 남자가 까만 수캐를 끌고
그 거대한 봉분의 풀밭을 거닐고 있었는데
오래전에 속속들이 도굴되었다는 그 왕릉 내부가 수상했다
왕릉 입구는 수직으로 타오르는 촛불 모양새인데
대리석을 이용해 섬세하게 축조한 것이었는데
첫눈에 여신의 음부 모양새라 느껴졌는데
그 내부는 기다란 질 같은 통로였는데 그 안쪽의
관이 놓여 있었다는 자리는 동그랬고 천장은 돔형이었는데
그곳은 아기집 모양새가 완연했는데
애초에 왕릉을 시공한 자는 왜
왕의 시신을 안치할 그 무덤을 임신한 여신의 불룩한 배와
자궁 모양새로 형상화했을까
혹시 왕이 그렇게 설계해 놓고 시공을 명하지 않았을까

살풍경

태풍이 몰고 온 큰비에 개울둑길이 깊이 파이면서
길 가장자리의 천 년 묵은 노거수가 드러누웠는데,
회갈색 절구통 굵기의 아랫도리 치부들을
핏빛 황토 속에서 드러냈는데,
목각장이들이 줄기와 가지를 모두 잘라갔는데,
뚱보할미의 엉덩이 같은 큰 등걸을 둘러싼 팔뚝 같은
뿌리들은 손가락 발가락 굵기의 뿌리들을 무수히 거느
렸고
그것들은 다시 노끈 같은 뿌리들과
거웃 같은 잔뿌리들을 땅에 박고 있었는데,
등걸 한쪽 가장자리에
새끼손가락 굵기의 작은 가지 하나가 솟아나와
잎사귀를 잃어버린 채 찬바람을 견디면서
봄을 기다리고 있었는데, 머리털 반백의 한 수채화가가
슬픈 그 살풍경을 화폭에 의인화하여 극사실화로 담고
있었는데,
그 등걸의 잔뿌리 옆에
발가벗겨진 채 쑥대처럼 산발한
빡빡 늙은 시인의 알몸이 누워 있었는데,

제2부

꽃에게 물려 본 적이 있는가

개똥참외 꽃

'달 긷는 집' 모퉁이의 검은 자갈밭에
늙은 주인이 씨를 들이지도 않았는데 자생한
황금빛 개똥참외 꽃이
자기 내부를 들여다보며 신통해 하며 황홀경에 빠진
늙은 집주인에게 볼멘소리로 물었다
당신은 무얼 하는 족속인가요?
늙은 집주인이 겸연쩍게 토설했다
향기와 꿀을 뿜는 네 자궁 속을 들랑거리는 바람도 되고
벌도 되고 나비도 되는 사람 아닌 사람,
시인이라는 족속이다
개똥참외 꽃이 빈정대듯
말하자면 천기누설을 일삼는 족속이네요, 하고 나서
말했다 우리들이 이 자갈밭에서 얼마나 아프고 치열하게
꽃을 피워 내는지 아시오? 우리처럼 시를 쓰십시오
늙은 시인이 발끈하여
너희들이 피워 내는 꽃이란 것은 무엇이냐고
물었고, 개똥참외 꽃이 말했다, 우리도 시를 씁니다
너희들의 시란 무엇이냐는 늙은 시인의 물음에
개똥참외 꽃이 말했다, 우주 만다라를

그려 보이는 것입니다, 우리가 세상의 중심,
세상의 기원*임을 설파하는 것입니다

* 프랑스 오르세 미술관에 걸려 있는 구스타프 쿠르베의 작품.

이끼 꽃

내 숲속의 천 년 고찰 모퉁이의 음음한 그늘을
감돌아 흐르는 시냇물에
아랫도리를 담근 돌과 나무 등걸 표면에 서식하는
앙증스런 수월관음여신들을 아는가
목탁 소리 풍경 소리 멧새 울음소리와 나뭇잎을 스쳐 온
바람과
시냇물의 노래에 젖어 살면서 나를 대할 때마다
코뿔소의 뿔처럼 혼자서 가라*고 설하는 앙증스런 그녀,
작렬하는 햇볕 가뭄에는 잿빛 안거에 들었다가
습도가 알맞았을 때면 파랗게 얼굴을 드러내면서
시인은 스스로 햇볕을 차단하는 그늘을 만들어
그 속에서 살아갈 줄 알아야 한다고
시인이 되바라져서 흥행하면 시가 죽는다고
그 법은 세상 모든 사람들에게 다 통용된다고
속삭여 주는 꼬마 구도자 선재**의 넋

* 수타니파타.
** 화엄경의 선재 동자.

흰 목련꽃

이른 봄날 아침에 아릿한 향기로 나를 불러낸
속눈썹이 여치의 더듬이처럼 휘어진
무녀도의 당나귀를 탄 흰 소복 차림의 신딸같이
토굴 뜨락에 들어선 그녀는
나와 눈길이 마주치는 순간,
몸을 움찔하고 턱을 안으로 끌어당기면서
둥둥한 가슴 한복판으로 늘어뜨린
머리채를 작은 물새 같은 흰 손끝으로
걷어 젖혀 왼쪽 가슴으로 옮겨 놓고
하얀 이 드러내고 소리 없이 웃었는데
해조음을 몰고 다니는 조개껍질 같은 하얀 귀
익사 충동이 느껴지는 하늘호수 눈동자에서
풍겨 오는
그녀의 신화세상으로
나는 흰나비되어 날아갔다, 현훈眩暈을 앓으며

꽃에게 물려 본 적이 있는가

동파를 예방하려고 살짝 덜 잠근 수도꼭지가
한밤에
천녀가 하늘 편경을 연주하듯
핑 퐁 펑 풍 핑 펑 퍙 필
방울방울 그 노래는 변기에 앉아 있는 내 가슴에
무수한 파장을 점 찍어 놓고
하늘로 날아가 별들의 씨앗이 된다,
그 하늘이 푸른 별 붉은 별 노란 별들로 채워지면
땅에서는 꽃들이 총포처럼
핑 퐁 펑 풍 핑 펑 퍙 필
당신은
알락달락한 꽃의 아가리에 손가락을
혀와 입술과 속살과 넋을
가슴 서늘해지게 물려 본 적이 있는가
꽃의 독이 온전히 몸에 번져 죽어
하얀 재가 되었다가 거짓말처럼 갓 허물 벗은
흰나비 한 마리로 깨어나
훨훨 날아다녀 본 적이 있는가

갈퀴나물 꽃

연두색 신록의 산하에 쏟아지는 찬란한 햇살이
수천억만 개의 자잘한 유리 주렴珠簾 되어
파들파들 너울거려서
그것들이 나를 떠나간 내 넋의 가루인 듯 슬퍼지는 한낮
이팝나무 꽃 아카시아 꽃향기 수런거리는 산책길에서
늙은 시인의 몸은 수만 마리의 나비로 해체되어 난다

진한 보라색에 자주색이 혼용된 홀로그램 빛살의
수술 층층이 달린 캉캉주름 치맛자락을 흔들며 긴
다리 하나를 머리 위로 추켜올려 뻗는
무랑루즈 춤사위에서 천국과 지옥을 읽은
늙은 시인은 현기증 어린 눈으로
짙푸른 허공을 쳐다보며 투덜거린다
짓궂은 것들아, 이 늙은이의
얼을 빼서 어쩌겠다는 것이냐

연꽃을 환장하게 보고 싶은 아침에

일교차 심한 유월 그믐날의 아침에 문득
연꽃을 환장하게 보고 싶어진 늙은 시인은
가쁜 숨과 부정맥을 무릅쓰고
자동차들 씽씽 달리고 찬바람 드센 아스팔트의 갓길을
허위허위 걸어서 해창마을 앞 들판의 연蓮방죽엘 갔는데
연잎들은 무성한데 벌어지지 않은 꽃망울들만
꽃대 끝에서 고개를 내젓고 있었는데
며칠 뒤 그들이 만개하면 다시 오겠다고
돌아와 죽으로 빈속을 채우고 식곤증으로 잠이
들었는데 꿈속에서 연꽃들이 폭죽처럼 터지고 있었는데
늙은 시인은 친구에게 문자 메시지를 찍어 보냈네
"나 연꽃 만개한 날 먼 나라로 떠나갈 것이니
나의 부음 전해지면 장례식장으로 오지 말고
가까운 연방죽으로 연꽃이나 보러 가소."

가시연蓮

추적추적 궂은비가 내리고 있었는데

서슬 퍼런 가시들로 무장한 화문 왕골방석만 한
잎사귀 한가운데를 뚫고 올라온
서슬 퍼런 가시 장착한 꽃대가
가시투성이의 파란 꽃망울을 달고 있었는데
그 진한 보라색 꽃이 반쯤 벌어진 한낮에 달거리를 하듯
진홍색 씨알들을 거듭 토해 냈는데
그 가시연꽃의 삶이 슬퍼
늪 옆의 움집에 기거한다는
가녀린 몸매의 비구니 스님이 그랬네

바야흐로 초경이 시작된 열두 살 소녀가
아버지 돌아가신 다음 한 남자하고 정분이 난 어머니가
아기를 낳다가 죽었으므로
어찌할 수 없이 그 의붓아비의 부양을 받으며 살았던 것
인데
밤에 잠을 자다가 깨어 보면 그녀가 그의
품속에 들어 있었는데, 그의 가슴, 다리, 어깨, 볼, 목의

살갗에는 검은 털이 부숭부숭 나 있었는데
그는 소녀의 몸을 쓸어 만지다가
이빨에 피 칠을 하는 늑대가 되곤 했는데
밤마다 속살 찢기는 아픔에 시달리던 소녀는
이 늪에 배 둥둥한 시체로 떠올랐는데
그 자리에서 가시연꽃이 피어났다고……
말을 마친 비구니 스님은 쓸쓸하게 웃었네

추적추적 궂은비가 내리고 있었는데

은초롱 꽃

저 혼자만 아는 내밀한 불을 밝히고 있었네
토굴 마당의 은초롱 꽃은

유월의 한낮 땡볕 아래서 낭창하게 휘어진 꽃대가
충장로 7080 축제거리의 허공에 달린 초롱 모양의
은색 통꽃들의 무게를 감당하지 못하고
땅에 닿을 듯 말 듯 불을 밝히고 있는 은초롱 꽃은

해마다 이맘때면 선 채로 그들을 내려다보기만 해 온
  늙은 시인은 그날 한낮 문득 꽃의 내부*가 환장하게 궁
금하여
  꽃대를 잡아 올리고 안을 들여다보았는데

넘어뜨린 여신의 은색 원피스 자락 안을
  들여다보기라도 한 듯 아연실색, 가슴이 쿵쾅거렸네, 아
  여신은 속옷을 착용하지 않았네.

* 한 종교기하학자는 인간과 식물은 정반대라고 말했다. 식물의 뿌리에 해당하는 인간의 머리칼들은 하늘을 향해 있고, 식물의 꽃에 해당하는 생식기는 치마 속에 숨겨진 채 땅을 향하고 있는데, 식물의 뿌리는 땅속으로 뻗어 나가고 꽃은 하늘로 향하고 있다고.

도깨비와 춤추는 늙은이

아르헨티나에 가서 열정 넘치게 탱고를 추는 그녀를
거리에서 만났다
연분홍의 꽃을 주렁주렁 달고 바람 따라 몸을 흔들어 대는
술 취한 나무
브라질 이구아수 폭포수를 이용한 한 발전소는
'노래하는 돌'이라 부르고
뉴질랜드의 '아오라키'라는 산 이름은
"구름을 뚫고 나온 산"이라는 뜻이라는데
그곳 원주민들이 붙인 것이라 했는데
가슴이 하얀 사람들은 사물을 이름 지어 부를 때 그 삶의
모양새를 풀이하여 불러 주는가 보다
진실로 그렇다면, 나는 내 이름 대신
'도깨비와 춤추는 늙은이'란 이름으로 불리고 싶다
나는 오래전부터
니체의 차라투스트라 같은 도깨비 한 놈하고 살고 있는데
백수광부 같은 그놈과
코 비틀어지게 술 마시고 노래하고 춤추고 산책하며
바다와 꽃과 달과 별과 새와 너나들이하고
신라의 한 걸승처럼

자다가 해골에 담긴 물을 마시고
건들바람처럼 웃으며 시를 논의하여 왔으므로

뱀딸기

짙은 안개너울처럼 아득히 흘러간 세월 저편에서
나는 뱀딸기를 따 먹었었네, 개여울 둑 아래에서
나보다 일곱 살 위인 아기업개 순이와 각시놀이를
하다가 배가 고파서,
개여울 바닥에 지천인
뱀허물처럼 생긴 풀들이 달고 있는
엄마의 젖꼭지에 빨간 물을 들여놓은 듯한 뱀딸기
'이것은 눈썹을 하나 뽑고 나서 따 묵으면 된단다.'
순이는 자기 눈썹을 한 개 낚아채 뽑고 그걸 따 먹었는데
나는 내 눈썹을 못 뽑아 빈 입맛만 다시고 있었는데
순이가 내 눈썹을 뽑아 주겠다고 해서 눈을 딱 감고
기다렸는데, 내 망막에는 진한 하늘색의 어둠이 맴돌았
는데
그녀가 갑자기 나를 둥둥한 가슴에 끌어안고
진저리 치다가 내 눈꺼풀에 코를 비비고 입술을 쪽 빨고
"눈이 너무 이쁘고 눈썹이 가늘어서 못 뽑것다
내 눈썹을 대신 뽑아 주께 따 묵어라."
순이는 자꾸 자기 눈썹을 뽑아 댔고,
그녀와 나는 쌉스름하면서도 달콤한 뱀딸기를

따 먹고 또 따 먹고, 배고픔이 가시게 따 먹었는데

그랬는데 갑자기 속이 매슥거려 토악질을 했고, 순이도

피처럼 빨간 즙을 토해 냈는데

다음 해, 그 다음 해에 순이는 검은 치마와 흰 저고리를
입고

작은 옷 보따리 하나 가슴에 보듬고 시집을 갔는데

나는 책보자기 가새질러 짊어지고 학교로 달려가다가

가슴이 쓰라려 울었는데

산딸기

1
산책길 농수로 언덕
날카로운 가시로 무장한 산딸기 덩굴에는
바야흐로 연보라색 꽃이 지고
잔털 부스스한 어린 산딸기들이 유월 초순의
후끈한 입김 같은 볕 속에서 자란다
우리 감오는 열 살 전후의 어린 시절에 보깨 머리를 하고
통치마를 입고 살았는데, 하고 장모님은 말했다
독한 감기로 아무리 아파도 아프다는 말 한 자리 않고 혼자
이불 덮어쓰고 땀 찍찍 흘리고 일어나곤 했네 배가 고파도
배고프다는 말도 않고 장에 간 에미를 기다리고 있고
처음 만났을 때 수밀도처럼 탐스럽던
아, 이 여름 땡볕 신화 속에서 산딸기는 내 여신의
오디처럼 탐스럽게 익을 것이다

2
산책길에서 산딸기 한 알 따서 입에 넣고 오물거렸는데
달콤새콤한

진보라색을 머금은 먹물색의 오돌토돌 싱그러운
여신의 가슴에 쌍으로 장식된
겨드랑이에 가슴 저리는 귀뚜라미 소리가
별처럼 흐르는
그것은 성스러운 시편 하나
멋없이 늙은 가슴 울컥해지는

부수수한 수염을 면도로 밀면서

부수수한 수염을 면도로 밀면서
거울 속의 내 얼굴 여기저기에 핀 저승꽃*들을 본다, 이것은
검은 어둠만 가득한 지하실 계단 아래로의 추락 같은
실패와 절망과 좌절의 고통과
무지갯살 같은 성취의 환희가 부단히 부침했던
내 시간의 돌이끼 꽃이다
아니다
얼마 전부터 밤마다 데려갈 시기를 가늠하려고 찾아오곤 하는
검은 치마저고리 입은 초콜릿 살갗의 저승사자가
부정맥과 천식에 시달리면서도 끈질기게 버팅기는 나를
가엾어 하고 데려갈 때를 잠시 유예하면서
내 얼굴에 입맞춤해 준 갈색 입술연지 자국이다
나의 관리자인 아내는 그게 일종의 피부병이라고
피부과에 가서 뽑아내 버리자고 하지만 나는
이것을 내 삶의 성스러운 훈장으로 간직한다
내 영혼의 사리앙금 같은
꽃을 든 석가모니의 말없는 설법처럼

한 가닥씩 똬리를 틀 때마다 한 송이씩 피어나는

갈색 보석 꽃무늬의 깨알 선시禪詩이므로

* "늙은 시인의 손등과 얼굴의 암자주색 저승꽃들은/봄밤의 소쩍새 소리/초여름 한낮의 뻐꾹새 소리/한여름 뙤약볕의 왕매미 소리/가을 초저녁의 수리부엉이 소리/겨울철 대숲을 우수수 수런거리게 하는/높새바람에 요분질치는 처마 끝의 풍경 소리/체머리 미세하게 흔들며 드라마 보다가/꿀잠 자는 아내의/코고는 소리를 먹고 피어납니다./늙은 시인의 손등과 얼굴의 암자주색 저승꽃들은…." - 「이별 연습하는 시간」에 실린 「저승꽃」 전문

야단법석

칠월의 땡볕 쏟아지는
그 연방죽은
야단법석野壇法席*이었네

우중충한 시궁창 물에서 솟구쳐 오른
수천수만의 연잎과 줄기들 사이사이에 피어난
연분홍 꽃들의 깊은 샘에서 흘러나온
그녀들의 향기로운 설법에 취하여 전율했는데
배꼽 아래에서 귀뚜라미 울음소리가 흘러나왔고
그때 나는 몇십 년은 젊어지고 있었네
대낮임에도 불구하고 하늘에서
나선 문양으로 흐르는 별들의 운행을 보았네

* 야단법석은 고명한 스님들이 모여든 대중들에게 설법하는 널찍한 공간이란 뜻
인데, 대중들은 하루 전부터 미리 와서 좋은 자리를 차지한 채 밤을 새우므로,
그들을 상대로 한 먹을거리 파는 장사꾼들이 많이 모여 우글거렸던 것이다.

붉은 나리꽃

볼과 콧등에 점점이 주근깨 앉은
꽃샘이 동굴처럼 깊은
검은댕기 두루미의 부리처럼 길고 외로운 너의
향기는 비대칭으로 진저리처럼 번져 온다
순이의 발그레한 볼에는 주근깨가 많았는데
눈의 검은자위는 오종종 작고 흰자위가 드넓었는데
엉덩이가 작아서 그랬을까, 산중 홀아비에게 시집가서
첫아기를 낳다가 죽었다는데
그녀의 아릿한 체취는 늘
하늘 호수에 일어난 파장 같은
풀벌레 울음으로 살아나서 나를 문득 깨어나게 하는
소나기 지나간 다음 벌어진
검은 구름장 틈새에서 나타난 조각하늘이 된다

늦가을 달맞이꽃

찬바람
줄달음질하는 늦가을 농수로에 투영된
서역으로 떠나가는 이른 아침의 창백한 달그림자를
심호흡으로 빨아들인
흰나비 같은 내 넋을
훔쳐 가곤 하는 달의 상아(嫦娥)여신을
애인이라고 여기는
망상 한 자락
간밤 그대 잠깐 내려와
내가 밟아갈 산책길 가장자리에
내 차가운 가슴을 덥히기 위해
호오, 호오 불어 놓았구나
여신의 입 비린내 나는
황금빛 뜨거운 숨결을

칸나

입술연지 새빨갛게 칠한 채 너무 노골적으로
색을 밝히는 되바라진 성정 때문에
하늘세상에서 유배되어 온
천녀,
내가 80 늙은이임에도 불구하고 나를
만나기만 하면
제물에 새빨갛게 불타올라 버리는데
그러면 칠월의 땡볕을 머리에 인
나도 그녀 따라 어리어리 미쳐 타오르지 않을 수가 없는데
그녀가 설사 사랑을 소나기처럼 퍼 줄지라도
그 사랑을 수행할 능력을 상실한 처지인 나는
그냥 그녀에게 농락을 당하고 있는 것인지도 모르지만
그래도 그냥저냥 두근두근 황홀할 뿐이다 철없이, 철없이

등신 꽃

한겨울
머리 하얗게 비우고
발밤발밤 뜨락을 날아다니다가
무념무상도 아닌
그냥 멍하고 또 멍해진 채로
욕조에 뜨거운 물 받아 알몸 욕을 하는
늙은 시인의 넋은
푸른 별들의
있는 듯 없고 없는 듯 있는 그림자 되어
하얗게 벌거벗은 자작나무들의 숲으로 날아가고
살갗의 촉감 입맛 후각만은 아직 멀쩡한
차를 반쯤 우렸을 때의 배릿한 향기* 풍기는
수컷 꽃이고 싶은
그러나 바야흐로
이런저런 미생물에게 내장과 살갗을 뜯어 먹히고 있는
슬픈 등신 꽃

* 황정견의 '정좌처(靜坐處) 다반향초(茶半香初)' 어떤 인물을 칭송한 것인데, 그
  대목은 고요히 앉아 있을 때엔, 곡우 전에 딴 덖음차를 반쯤 끓였을 때 풍기는
  배릿한 향기(갓 낳은 어린 아기의 몸에서 풍기는 풋풋한 생명력의 향기)처럼 그
  윽하다고 읽힌다.

죽음의 씨앗

밤새도록
서너 번 만에 한 번씩 멈추곤 하면서
지친 듯 흐느적거리는 부정맥이 이어진다
80 넘었으니 살 만큼 살았느니라
늙은 시인은 답답해지는 가슴을 달래며
이제는 다 버리고 향기로운 연꽃으로
피어나고 싶다는 생각을 한 이튿날
검은 우산을 받쳐 쓰고 칠월의 땡볕을 뚫고 허위허위
연방죽으로 갔는데, 수천 송이의 연꽃들이 바람에
한들한들 향기를 뿜고 있었는데
연방죽 어구의 쟁반만 한 검푸른 연잎 한복판에
금방 흘린 이팔 소녀의 초조初潮 같은 꽃잎 하나
꽃판에 박혀 있던 부분이 하얀
연분홍의 꽃잎은 사실 죽음으로 가는 씨앗일 터인데
하늘에서 내려온 뜻과 땅에서 솟구치는 훈기가 만나는
어름에 그것은 고요히 누워 있었는데
나의 마지막도 이렇듯 슬프면서도 곱고 찬란할 수 있을까

제3부

나에게서 나간 것이 나에게로 돌아온다

창공 낚아채기

바둑무늬 털의 암컷 고양이가
산까치의 무지갯빛 어린 청동색 날갯죽지를 입에 물고
달 긷는 집 앞을 느릿느릿 걸어간다
이웃 청기와집 모퉁이의 무화과나무 그늘에 엎드려
미동 않고 허공 한 곳을 응시하고 있던 그녀
나는
그녀의 집중을 방해하지 않으려고 피해 다녔는데
그 무렵 무화과나무에는 익은 무화과를 따 먹으려는
산까치들이 시끄럽게 우짖으며 우글거렸는데
이제 알았다
그녀의 응시와 기다림과 한 순간의 도약과 낚아채기
산까치의 운명을 슬퍼해야 하지만, 그녀의 성취도
축하해야 한다
인생에도 시에도 사랑에도 죽음에도 그게 있다
기다림과 인내와 결정적인 순간의 창공 낚아채기

불가사의 해탈

한여름의 치자 색깔의 아침노을을
심호흡하며 나선 산책길에 보았다
열한 살 소년의 고추만 한
강아지풀 열매의 부연 잔털 위에서
찬란한 노을을 배경으로
명상에 들어 있는
늙은 여치 한 마리,
유마거사*의 불가사의 해탈**이 거기 있었다

* "중생이 앓고 있는데 어찌 보살이 앓지 않을 수 있는가."라는 명언을 남긴 성
자. 『유마경』의 주인공.
** '……모든 깨달은 자에게는 불가사의(不可思議)한 해탈이 있습니다. 만약 그 깨
달은 자가 이 해탈에 머무르면, 높고도 넓은 수미산을 겨자씨 안에 넣어도 그
겨자씨가 늘어나거나 줄어드는 일이 없고, 수미산도 아무런 변함이 없습니다.'

아침 산책

바야흐로 떠오른 새빨간 해를 가슴에 안고
바다를 향해 뻗은 농로를 산책하기는
꽃 한 송이를 꺾어 집으로 돌아오기이다
숭엄한 거듭나기의 의식이다
분별하기 어려운 사념의 굽이굽이에 속속들이
진저리 쳐지도록 까슬까슬한 찬물을 끼얹고 나서
새물내 나는 수건으로 온몸에 엉긴
숭어의 비늘 같은 물방울들을 훔쳐 내고
향유를 바르고 보송보송한 속옷으로 갈아입는
그 산책길에는 반드시 물방울관음여신이
그림자처럼 동행하는데 그녀와 나의
도람도람 나란한 그 한 발짝 한 발짝은
살갗에 돋아나는 아찔한 전율의 소름처럼
창세기의 빛 같은 화두들이 솟아나는 청보석의 시간이고
문득
문득 터지는 환희의 폭죽이다

요석공주 꽃

신라 삼국전쟁이 한창이던 그때
소리에 놀라지 않는 사자처럼
그물에 걸리지 않은 바람처럼*
그렇게 살던 청년 원효가
시장에서 군중들과 함께
전쟁을 멈추라고 무애춤 시위를 하다가
군사들에게 잡혀 요석궁으로 이끌려 가서
전쟁 과부인 공주와 합방을 하게 된 것은
결코 파계가 아니고 화엄**의 바다의
연꽃 속에 빠진 것이란다
그 전설 속의 요석공주는 한 여인의 몸으로 환생하여
여름철 아침이면
연방죽에서 꺾은 연잎 한 개를
머리에 쓰고 집으로 돌아와 따끈한 욕조의 물에 띄우고
연향이 울어나면 오랫동안 알몸을 담근다는데
그것은 한 송이 연꽃으로 피어나는 의식이라는데
그러면 하루 내내 그녀에게서는 그윽한 연향이 풍긴다
는데
그것은 떠도는 원효의 넋을 불러들이려는 것이라는데

아, 나 그 원효가 되고 싶다

자명등

실상사의 석등을 복제하여 내 토굴 앞에 세운 것을
자명등自明燈이라 부른다
스스로 자기 몸을 밝히는 등불

밤새도록 나의 머리를 어지럽힌
독수리가 쪼아 먹고 또 쪼아 먹어도 계속 길어나는
프로메테우스의 간처럼
한도 끝도 없이 찐득찐득 솟구치는 그 번뇌의 너울을
꼭두새벽 한순간에 살라 먹고
황금빛 아침노을로 토해 내고
차가운 내 가슴에 따끈하게 불을 지피곤 하는
등불

한 자루의 촛불

어린 시절에 들었다
에스키모는 사각의 얼음블록으로
빙고氷庫 같은 집을 짓고 사는데
따뜻한 나라 사람이 거기에 들어 잠을 잘 때는
반드시 한쪽 구석에
촛불을 한 자루 켜 놓고 자야 얼어 죽지 않는다고

사랑하는 나의 물방울관음여신,
으슬으슬 한기가 깃들곤 하는
나의 얼음집 같은 가슴 한쪽 구석에 와서 한 자루의
촛불로 타올라 주십시오

연애편지

그해 어느 찬바람 들썽거리는 초봄 토굴에 찾아온
스스로도 알 수 없는 시의 신에 씌어 산다는 한 여인이
으슬으슬 추워지곤 하는 나의 병을 뚫어 보고 던진 말,
연애편지를 쓰세요
그것은 병 아닌 병인데 거기에는 연애편지가 약입니다,
그 말 따라 연애편지를 쓴다
법화경과 법구경, 수타니파타를 베끼듯
경전 하나를 새로이 쓰듯이
오래전에 젖 떨어진 얼뚱아기가 엄마에게
젖 한 번만 부둥켜안고 빨아 보자고
주저앉아 두 발을 번갈아 차며 어리광 떼를 쓰듯이
팔십 나이에 소가지 없이 쓰는 연애편지,
한 구절 한 구절을 쓸 때마다 오한 든 가슴과
차갑던 손발과 삭신의 삼천 매듭 굽이굽이의 모공에서
훈풍 머금은 별과 달과 꽃과 들풀과 바다와 하늘과
물새들이 귀뚜라미 소리를 내며 눈을 뜬다
친구여 나처럼 소가지 없이 연애편지를 쓰게나

너에게서 나온 것이 너에게로 돌아간다

토굴 뜨락의 욱 자란 철쭉나무 우듬지를 자른다
꽃이 화려 찬란하다는 오만처럼
우주를 온통 제 꽃만으로 장식하겠다는 탐욕처럼
헌걸찬 그들의 세력지,
무엄한 그들 군락 속에
토굴 주인의 번뇌 너울처럼 자생한
찔레나무와 산딸기와 쇠무릎과 모시풀과 팽나무와
억새풀 띠풀의 줄기들,
초여름 들어 미친 듯이
들솟는 죽순도 자른다 올곧음과
실바람 한 줄기에도 소곤거리는
푸른 물 뚝뚝 듣는 중얼거림과 낄낄거림과
창문에 비치는 수묵화 같은 그림자를 즐기려고 장려한
솜대나무가 토굴 주인을 압박하는 괴물이 되어 있다
서재의 방바닥과 바람벽 사이에서 죽순 하나가
식인종의 창처럼 들솟은 적이 있었다
덧거친 겁박 속에서 토굴 주인이 살아가는 것은 싸움이다
너에게서 나온 것이 너에게로 돌아간다

동티

전정가위로 정원수들을 자르고 난 지 일주일째인데
아침의 고기죽, 점심때에 포도주 곁들여 먹은 생선회들이
소화 안 되고 배 더부룩하고 노곤한데
백팔십 도로 누워 자면 탈 날세라
바닷가 모래밭으로 나가 비틀비틀 거닐며
'사는 것이 지옥살이 같은 고통이다'
투덜거리며 진종일 견디다가, 저녁밥은 굶은 채
비몽사몽의 밤을 으슬으슬 열꽃 속에서 지새고
이튿날 아침에는 죽을 반 그릇만 먹었음에도
배가 더부룩하여 다시 산책을 하는데
허리의 살갗이 아릿하고 거북살스러워 만져 보니
쪼그마한 곰밭 하나가 생겨 있는데
거기에 붙은 딱지를 떼어 보니 갈색의 진드기여서
아뿔사 이놈이 주입한 바이러스 때문이구나,
하고 병원으로 달려가니 의사가
만일 열이 더 많이 오르면 큰 병원으로 가서
입원치료를 받아야 한다고 겁박을 했는데……
친구 신지 옹에게 문자로
"나는 소나 돼지보다 못하네, 진드기에게 일주일 동안

이나

　피를 빨리고 그놈이 주입한 바이러스로 몸살을 앓고 있
네.”

　했더니 신지 옹이 답했네 “근신하소. 업보네,

　고사도 안 지내고 정원수들을 손대서 동티*가 난 것이
네.”

　‘동티’를 검색해 보니, 자기가 지은 업으로 인해 생기는
뒤탈이고

　나무나 돌을 잘못 건드려 지신地神을 화나게 하여 생기는

　재앙이라네

숭엄한 거시기

소설가 아들 하나를 둔 어머니는 당신의 배腹 자랑이 심
하셨는데,

대학생이던 내 아들딸이 나란히 소설을 처음 신춘문예
에 응모했다가

똑같이 낙선을 했을 때 본인들은 태연한데 내 아내는

코가 빠져 있었는데, 그 기미를 안 어머니가 아침밥상머
리에서

당신의 며느리를 향해 알심 있게 으흠, 으흠 하고 나서

"그런 자식을 아무나 낳는 줄 아냐?"하고

배 자랑을 하셨는데,

다음 해, 그 다음 해, 내 아들딸이 줄줄이 당선되었을
때, 아내가

자기야말로 소설공장 공장장이라고 귀엣말을 하길래

나는 술 몇 잔으로 얼근한 김에

"당신은 왜 시어머니에게 말을 못하는 거여? 어머니는

그런 자식이 하나이지만 저는 둘이나 돼요, 하고?"

아내는 들은 체 만 체했지만

이후 나는 늘 아내의 배 눈치를 보는데,

이 세상을 존재하게 한 모든 여성들의 배를

숭엄한 거시기,
자궁권력의 현장으로 삼가곤 하는데

홀로 사는 여인

아침이면 낙지 갈아 넣어 쑨 죽을 먹곤 하는 늙은 시인이
산책길에서 만나곤 하는 홀로 사는 여인이 있다
아침에는 고추밭에서 일하고, 낮에는
무논의 논두렁 깎고, 저녁나절 바다에 썰물 지면
무릎까지 빠지는 갯벌로 낙지를 잡으러 가는
농사일로 바다일로 노상 허리와 무릎이 아픈데
진통 소염제를 사다가 먹으며 견디는

힘들게 잡은 낙지
늙은 시인의 아내에게 주고
마늘 주고 참깨 주고 고구마 주고 고추 주고 옥수수 주고
아들이 변호사인데도 배 자랑 한 번 하지 않는
순한 듯하지만 쑥뿌리처럼 질기고 당차게 홀로 사는 여인

어느 날 나락 포기 사이에 자라는 잡초 뽑아내고 있는
그 여인을 향해 지나가던 늙은 시인이
"뭘 그렇게 깨끗하게 농사를 짓소? 대강 하십시오.
가을 창고에 쌀이 들어오지, 잡초 씨가 들어온답니까?"
하고 농을 걸었는데, 그 여인이 그랬다.

"지슴* 요것들이 하나만 있어도 가슴이 아려라우."

* 잡풀의 전라도 사투리.

개가 짖고 있다

꼭두새벽에
토굴서재의 컴퓨터 앞에 앉아 있는데
이웃집 잡종 도사견이 짖고 있다
검은 세상이 우렁우렁 흔들리도록
따지고 보면 나도 짖고 있다
개는 아마도 눈앞의 알 수 없는 어떤 움직거리는
검은 형상을 보고 짖을 터인데
나는 무엇을 향해 짖고 있을까
개는 목청껏 짖고 또 짖는다
이천육백여 년 전
스스로 칭병하고 누워 문병하러 온 자들을 상대로
'불이不二'와 '불가사의 해탈'을 설한 인도 가비라성의
유마거사도 그렇게 밤이면 스스로의 어둠을 향해 짖고
니체도 숲속에서 밤이면 차라투스트라와 더불어 세상의
어둠을 향해 그렇게 짖지 않았을까

첫사랑 여인

무더운 한여름 밤에 천장의 형광등 죽이고
자리에 누운 채 티브이를 보다가
오른팔의 살갗을 스치는 섬뜩한 차가움에
소스라쳐 일어나니
꽃뱀 한 마리가 나를 쳐다보았다, 당황한 나는
재바르게 형광등을 켜고
검붉은 얼룩무늬로 단장한 채 빨간 혀를 널름대는
그녀를 파리채로 걷어내고, 방바닥을 기어 달아나는
그녀를 빗자루로 쓸어 방충망 밖으로 내치고 나서
멍해졌다
대관절 어떤 틈새로 들어왔을까
그런 나를 말없이 지켜보던
내 주변을 얼씬대는 여자들에 관한 한 촉이 날카로운
아내가 빈정거리듯 냉랭하게 말했다
당신 참말로 매정하네, 당신 첫사랑이구만
몸짓, 눈빛, 널름대는 빨간 혀를 보니
당신하고 하룻밤을 함께하려 했던 모양인데
당신이 너무 무정하게 내쳤어요

지네와 동거하는 법

내 허름한 토굴의 이 굽이 저 굽이에 지네들이 사는데
나는 그들을 정중하게 오공蜈蚣님이라 대접해 부른다
번들거리는 까만 등가죽 마디마디 양편에 달린 마흔여
덟 개의
황금색 발들이 캐터필러처럼 움직거리고
땅속이나 비좁은 가구들 틈새를 들랑거릴 수 있도록 납
작한 데다
머리 위의 민감한 주황색 더듬이 한 쌍과
두 개의 노란 독창毒槍으로 무장한 오공님,
어느 여름날 방바닥에 놓아둔 옷을 입었다가 나의 체취에
깊이 취해 있는 오공님에게 겨드랑이를 물리고, 또
어느 날 외출하려고 바람벽에 걸린 모자를 썼다가
나의 머리칼 냄새를 즐기고 있는 오공님에게 두피를 물
려본 나는
나라는 놈이 그 오공님의 먹이가 될 수도 있는
'한 마리 벌레'일 뿐이라고 대오각성하고, 그 이후로는
옷과 모자를 반드시 털털 터는 버릇이 생겼는데
자본주의 정글세상의 허름한 내 토굴에서의 오공님과
나의 동거는

어쩔 수 없이 지속되어야 하는 부조리이다

의붓딸의 목소리에 한이 서리게 하려고 눈을 멀게 했다
는 이청준의

서편제 소리꾼처럼

더듬이를 더욱 민감하게 하려고 스스로의 눈과 귀를 퇴
화시킨 오공님이

눈 귀 코를 시퍼렇게 뜨고 사는 나를 잡아먹으려고 내
몸을 독침으로

찌르는 것은, 그의 운명적인 미망迷妄일 터인데

그는 그 미망이 자기를 죽인다는 것을 모르고 있고

나는 그의 미망을 안다고 오만해 있으므로, 그 오만이
나를 죽인다

여성상위 시대의 남성들이 아내에게 쫓겨나지 않는

비법을 터득하고 아첨하듯

오공님에 대한 무섬증을 가진 나는 그의 독창에

찔리지 않고 동거하는 비법을 나 나름대로 터득했지만

나는 그것을 터득했다고 자신만만해 하는 나의 오만을 늘

경계하지 않으면 안 된다, 우리들의 평화로운 동거를 위
하여

한밤의 수묵화

한밤에 일어났는데
휘영청 달이 밝았는데

은빛과 금빛이 섞인 가로등의 광망을 배경으로
꽃망울들을 합창하는 요정의 입처럼 터트린
배롱나무의 검은 그림자를
젖빛 유리창에 수묵화 한 폭으로 새겨 주는
내 물방울관음여신의 사랑스런 배려

머나먼 길을 날아와
병이 깊은 늙은 시인을 지켜 주려는
달빛 옷 입은 상아여신의
유향을 가슴으로 읽으며 잠을 설친다

갈매기의 말

진땀 흘리며 앓고 난 이른 아침 바닷가 산책을 나왔는데
창백한 달이 그림자를 숲에 드리운 채
서쪽 하늘로 떠가면서
회색 갯벌밭을 모세의 기적처럼 펼쳐 놓았는데

해당화 향기 자욱한 모래밭 언덕을
비치적거리며 걸어가는데
갈매기들이 끼룩끼룩 소리치는데 그들의 말을
늙은 시인은 자기에게 이롭도록 번역하여 듣는다
'늙은 시인아 끼우,
살아 있는 한에는 씩씩하게 개기고 버팅겨라 끼우,
개똥밭에 뒹굴어도 이승이 낫다, 끼우 끼우.'

싱거운 시인들

요통을 앓다가 바다에 나온
창백한 흰나비처럼 가벼워진 늙은 시인이
검은 점박이 갈매기에게
무얼 먹고 사느냐고

너무나 당연한 것을 물어서인지, 그 갈매기가
작은 물고기를 잡아먹는다고
대답을 하고 나서는
싱거운 노인네, 하고 중얼거려서

그걸 번역해 들은 늙은 시인이
그 속상함을 담양 고 시인한테 문자로 찍어 보냈더니
금방 회신이 날아왔는데
위로의 말이다,
싱겁고 가벼워야 높이 날 수 있습니다, 그 말이겠지요

그것을 갈매기에게 일러바치니 갈매기가 말한다,
그 시인은 더 싱겁네요.

상아嫦娥여신
– 이천 말향고래 시인에게

한밤에 울산 반구대에 갔는데
하얀 만월이 중천에 떠 있었는데
아득한 옛날 암구대의 제사 음식 받아먹던
달에 사는 상아여신을 만났는데 나는
그 여신의 아리따움과 향기에 반해서 그녀의
신금神琴을 연주하며 내내 황홀했는데
암구대 호수의 모든 물고기들이
그녀와 내가 수면에 흘린
반짝거리는 사랑 찌꺼기들을 쪼아 먹었는데

거기 새겨진 말향고래, 꽃사슴, 노루, 호랑이의
그림자들이 물에 잠기고 있어서
상아여신은 새벽녘에 헤어질 때
사제들이 바친 음악과 춤과 향기로운 술과 차를
즐기던 시절을 그리워하며 눈물을 흘렸는데
눈물로 그녀의 흰 달빛 옷자락이 얼룩지고 있어서 나는
그녀를 아픈 가슴으로 보내지 않을 수 없었네

여닫이 해변의 홀아비 수캐

여닫이 해변의 일출펜션 모퉁이
까만 플라스틱 통 한쪽을 뚫어 만든 개집이
돌풍에 날아갈세라 위에 얹어 놓은
시멘트블록 두 장, 그 위에
쇠고랑에 묶인 채 올라가서 똬리를 틀고 있는
하얀 털 부숭부숭한 홀아비 수캐

신기루 같은 세상 어지럼증을 보듬은 채
헐거워진 날개로 허위허위 날아다니던 나는
묶인 자기 나름의 삶에 익숙해 있는 그 수캐에게서
치졸한 인간 조건에 묶여 사는 미욱한
나를 보았다 치유되지 않는 고독과 우울병을
아침이면 서역으로 가는 창백한 달의 여신에게
어리광하고 위안 받으려 하지만
얻어진 것은 안개어지럼증 같은 미망일 뿐인데

따지고 보면 그것을 해소시키는 것은 죽음이라는
약뿐일 터인데, 나 죽고 나면
누가 나를 대신해서 닭 한 마리를 바칠까*

나를 죽게 해 준 지하여신에게
홀아비 수캐는 엎드린 채 흰자위 확대된 눈으로 흘겨본다
해답이 뻔한 생각을 하는 나를

* 죽음을 앞둔 소크라테스는 친구에게 "여보게, 아스클레피오스(의술의 신)에게
  닭 한 마리를 빚졌다네. 자네가 대신 갚아 주게."란 말을 남겼다. 소크라테스는
  인간의 삶은 고통스러운 병이라 생각했으므로, 그 병을 낫게 해 준 것은 죽음이
  라고 보고 있다. 죽음을 의술의 신이라고 역설적으로 말하고 있다. 당시 그리스
  에서는 앓던 병을 낫게 되면 의술의 신에게 닭 한 마리 바치던 풍습이 있었다.

제4부

허공이 하는 말

허공이 하는 말

장흥병원에서 진료를 받고 원무과에서 돈을 치르려 하니
여직원이 컴퓨터를 들여다보며
그냥 가십시오, 여기 받지 말라고 되어 있는데요,
염치없어 하며 약을 타러 약국으로 가는데
머리 위의 허공이 말한다 그 여직원이 아무한테나
'여기 받지 말라고 되어 있는데요.' 하는지 아느냐
택시 불러 타고 집으로 가는데
핸드폰이 울어서 열어 보니
영상통화가 연결되어 있고 그 속에
긴 검은 머리채의 눈 거슴츠레하게 웃는 흰 얼굴이
선생님, 노을이 타오르고 있어요
핸드폰의 화면에는 질펀한 연꽃방죽 위로
붉은 저녁노을이 황홀한데, 허공이 말한다
저 여인이 아무한테나 타는 노을을 보여 주는 줄 아느냐
돌아앉아 택시 뒤쪽 유리창 너머 찬란하게 타오르는
노을을 보고 우와 찬탄을 하는데, 허공이 말한다
저 노을이 아무한테나 저리 뜨겁게 타올라 주는 줄 아느냐

뜬금없는 일탈

시가 무어냐고,
토굴에 들어선
얼굴 우락부락 제 마음대로 생긴 나그네가 물어서

나의 길은 늘
시끄러운 세속을 관통해 가야 하는데
그 안에서 길을 잃고 헤매곤 하는
일탈의 기록이 내 시일 터이요,
하고 토굴 주인이 마음 가는 대로 말을 했는데

가령 예를 든다면? 하고 나그네가 따지고 들어서
토굴 주인이 말했네

깊은 절에서 나고 자란 한 고명한 시인 친구의
부음을 받은 날 아침 나는 조문을 하러 길을 나섰다가
문득
하얀 국화꽃송이들로 장식되어 있을 그를 보는 게
어색하고 슬퍼서
소주로 얼굴 불콰해진 채 떠들어 대는

제 잘난 맛으로만 사는 문상객들의 소리들이
쇠붙이들끼리 비비대는 삐익 삑 소리처럼 싫어서
전주 덕진 공원 연못으로 가서 종일토록
고물 사진기로 활짝 핀 연분홍 꽃을 찍었지요

신화처럼 고여 출렁거리게 하라

우울한 일요일 한낮
세상만사로부터
나에 대한 그 어떤 관심의 기척도 없고
시상도 떠오르지 않고 그냥 맨숭맨숭 심심하여
허공을 쳐다보며
대관절 사는 게 무엇일까
어떻게 사는 게 잘 사는 것일까 하며 슬퍼하는데
허공이 말한다, 그냥 짝사랑을 해 보라고
짝사랑하듯 시를 쓰고
시를 쓰듯 짝사랑을 하라고
뜨거운 가슴 없는 사랑 있을 수 없듯
그윽한 아픔과 슬픔과 사랑 없는 시가 있을 수 없다고
시도 사랑도 신의 뜻이라고
사랑을 하고 시를 쓰되
모든 것이 흘러 고인 푸른 호수처럼 바다처럼
하늘의 연못 한가운데에서 신화처럼 어우러져
출렁거리라고

점안點眼

아카시아 향기 자욱한 날
천관사 주지 스님의 초청을 받고
대웅전에 새로이 모신 석가모니
부처님의 점안법요식에 갔다가
노스님이 금빛 부처님의 반개한 눈
한가운데에 먹물 점을 찍는 순간,
문득 그 눈이 뿜는 알 수 없는 광휘로 인해 나의
멀쩡하던 두 눈이 캄캄하게 멀어 버렸다
모두들 아미타 세상으로 가는 길이 열렸다고 합장하고
나무아미타불을 염송하며 그 길로 들어서는데,
나의 눈앞을 숯가루 비 같은 어둠迷妄이 가로막아서
나는 억울하고 슬퍼 부처님께 하소연했다
길 위에서 어머니의 옆구리를 트고 나온 까닭으로 내내
고아가 되어 살다가, 어느 날 왕궁을 박차고 나가 맨발로
걸어 다니며 사람의 길에 대한 각성의 눈을 뜨고
중생들에게 사람의 길을 가르치며 다니다가
길 위에서 열반하신 석가모니 부처님
이제는 나의 눈에 당신의 손으로 먹물 점을 찍어
무지개 같은 광휘가 나의 어둠 너울을 살라 먹게 해 주
십시오

그림자

젊은 시절에는 내가 내 그림자를 이끌고 다녔는데
늙은이가 된 이제는 내가 나의 그림자에게 이끌려 다닌다

하늘호수

빨간 단풍 세상 저 너머의
눈 시린 비취색 하늘호수,
노르웨이 산하의 빙하 녹아 흐르는
강도 호수도 바다도 아닌, 피오로드 흡사한
저 물은 어디에서 흘러와 고인 것일까
싯다르타가 깨달았다는
더 이상 높이 도달할 수 없는 최고의 그윽한 세계가
저런 색깔일까, 노자 장자의 그윽한玄 세상
태허太虛의 색깔이 저러할까
사람의 넋에도 색깔이 있을까
왜 산에서 사느냐고 물으면 대답 않고 그냥 웃기만 하는*
그 시인의 넋 색깔이 저런 색일까
내 넋은 저런 색깔일 수 있을까

* "어찌하여 산에서 사느냐고 물으면 대답 않고 웃지만 마음은 한가롭다. 복사꽃
 물에 떠 흘러가는 사람 사는 곳 아닌 별천지이므로(問余何事棲碧山 笑而不答
 心自閑 桃花流水杳然去 別有天地非人間)." — 이백, 「산중문답」

등신불

오래전
'불쌍하다는 말이 불상佛像에서 연원했다.'*고 말한
한 젊은 목사에게
말도 안 되는 소리 하지 말라고 짜증을 냈었는데
어느 날 문득
정말 그랬으면 좋겠다는 생각을 했다
싯다르타가 그랬듯
존재하는 모든 것들을 불쌍하게 여기는 버릇을 들이기
시작하던 그 어느 날
탐욕을 잔뜩 짊어지고 오만과 미망에 젖어 사는
덩치 큰 벌레 한 마리인 나 자신까지도 불쌍히 여기며 사는
등신불이 되었으면 좋겠다고 간절하게 소망하기 시작했다

* 불쌍하다는 말이 불상에서 연원했다는 말은 근거가 미약하다고 언어학자는 말한
  다. 한국고전에는 '불상'이란 말이 보이지 않고 '붓다', '부처'란 말만 보인다는 것
  이다. 불상이란 말은 근세에 나타난 말인 것이다.

그물침대에 누워서

딸이 보내 주어서 '달 긷는 집' 마당의
정자에 설치한 그물침대에 누워 흔들흔들
세상을 흔든다
흔들거리는 세상을 즐긴다
허공에 걸린 채 흔들거리는 또
하나의 세상 속에 내가 떠 있다
노인은 가끔씩 어리광하듯 흔들리며 살아야 한다는 것을
그물침대는 가르친다 흔들림은 황홀한 일탈이다
사랑도 흔들림이고 시도 흔들림이다
어른어른 세상이 흔들리는 가벼운 멀미 속에서
눈을 감으면 보인다 아득한 길
요람에서 무덤까지의

한없이 깊고 짙푸른 허공에

여닫이 연안의 흰 모래밭을 걸어가다가
모래알들의 아득한 영겁의 시간에
유한한 생명체인 내가 발자국을 찍고 있다 생각되어
가슴 두근대며 걸어가다가 돌아서서
한 가없은 늙은 짐승이 찍어 놓은
단조롭고 유치한 상형문자 같은 시간의
발자국들을 보고 거기에도
신화 한 가닥이 담겨 있을 수 있다는 착각을 하고 서 있
다가
건강하게 오래 산 자가 최후의 승리자라는 말을
생각하다가
그게 미욱한 자의 오기 어린 말인 듯싶지만
어쩌면 진리일 수 있다고 합리화하다가
영겁을 살고 있는 모래 앞에서 뱉어낸 스스로의
무지한 그 오만을 부끄러워하다가
머지않아 밀물이 들어오면 지워지고 말
허무한 발자국을 찍으며 걸어가다가 허공을 쳐다보았
는데
한없이 깊고 짙푸른 거기에

발자국을 찍어 남기려 하는 미욱한 무당새 한 마리 날고
있었다

꿈에는 세금이 없다

장맛비가 걷히고 눈부신 햇살이 따갑게 휘도는 여름에
바닷가 산책하고 미지근한 물로 몃 감고 그물침대에 누워
하늘 산 바다 들판 정원의 나무들이
우쭐대는 춤을 즐기다가
모기 한 마리가 흡혈하겠다고 덤벼드는 것을
손바닥으로 쳐서 제압하고
그 통쾌함을 신지 노옹에게 문자메시지로 알렸더니
금방 답글이 날아왔다
그 흡혈투사가 장렬하게 전사하며 말했을 거네
만만하게 봤더니 그 토굴 노인 힘도 세네,
늙은 시인이 흰소리를 던졌네
'그놈이 그랬네, 그 노인 아직도
순발력이 좋은 거 보니, 백 살까지는 살겠네, ㅎ'
그때 허공이 말했다
'백 살이라고? 꿈에는 세금이 없다, 가가가ㅠㅠㅠㅠ*'

* 옛날 선비들이 허튼소리 어린 시문 끝에 붙이곤 한 빈정거림 어린 껄껄거림.

내 허벅다리에 각인된 만월

심하게 흔들릴 때면
내 허벅다리에 각인된 만월이 생각나고
창공에 드높이 뜬 만월을 보면
그것이 알 수 없는 흔들림의 세계로 미끄러지는 나를
붙잡아 주곤 한다
처음 흔들리는 삶을 경험한 것은
어머니의 등에 업힌 채 바다 한가운데 떠 있는
덕도의 집에서 대덕읍내의 병원까지의
시오리 길 위에서였다
창공의 달을 머리에 인 채 잠든 아기를 업고
산모퉁이를 돌고 바다를 건너 돌아왔을
스물다섯 살의 어머니,
스물한 살의 내가 절망과 방황으로 흔들렸을 때
마흔다섯 살의 어머니는
내 허벅다리 한복판에 새겨진 만월을 말해 주었다
너의 허벅다리에 알 수 없는 습진이 생겼는데 그것이
허벅다리를 똑 끊어 놓을 듯 깊이 파먹어 들어갔는데
그 자리에 둥그런 만월이 생겼다고
아, 만월, 내 오른쪽 허벅다리에 새겨진 만월은
평생토록 내 영혼 한복판에 떠서 나의 길을 밝히고 있다

슬픈 흰소리

정자의 그물침대에 누워 흔들거리며
얼마 전에 자꾸 성가시게 하는 쓸개를 떼어 냈다는
생오지 노옹에게 손전화 문자로 흰소리를 던진다

화창한 봄날 신라의 한 노인은
아슬아슬한 자줏빛 바위 절벽 모서리에 핀
꽃을 꺾어 수로부인에게 바쳤다는데
나 그대에게 그 여인의 향기 어린 백합꽃 한 송이를
찍어 보내네, 싱그러운 기 받으라고

생오지 노옹에게서는 그날 텅 빈 허공처럼 대꾸가 없다가
다음 날에야 답이 왔는데
어제 하루 서울에서 안대하고 있어서 답장이 늦었네,
백내장 수술을 했어, 보내 준 꽃에서 기 팍팍 받을게

내가 또 흰소리를 보냈다
자네의 신이 세속에 찌든 겉눈 대신 내밀한 속눈을
확철하게 뜨도록 작용하는 모양이네, 싯다르타처럼
최고 최상의 대오 각성하라고

요람에서 무덤까지의 거리에 대한 논의

그물침대에 누워 세상을 흔들며 신지 옹에게 물었다
요람에서 무덤까지의 거리,
지옥문에서 천국의 계단까지의 거리는
대관절 얼마나 될까 곧 답신이 날아왔는데
'그 답이 나오면 나에게도 좀 가르쳐 주소.'
요람에서 무덤까지의 거리,
지옥문에서 천국의 계단까지의 거리
에 대한 질문을 한 젊은 시인에게 던졌는데, 답신으로
연방죽 한 구석을 찍은 사진 한 장 날아왔는데
푸른 연잎들 사이에 거무스레한 연밥이
까만 콧구멍들을 자랑하고 있었는데
거기에 답이 들어 있었네
요람에서 무덤까지의 거리,
지옥문에서 천국의 계단까지의 거리는
연잎에서 연밥의 콧구멍까지의 거리와 같다는

내가 늘 바다에 가는 까닭은

내가 늘 바다에 가는 까닭은
먼 바다에서 꿈틀거리며 달려온 짙푸른 파도의 굽이굽
이에
반짝거리는 비늘너울,
달빛너울 옷 입은 물방울여신*의 춤을 보기 위해서이다

내가 늘 바다에 가는 까닭은
하얗게 번쩍거리는 고독의 비늘로 방패막이를 한 채
무지갯살을 발산하여 내 영혼을 발기하게 하는 여신의
말 없는 말,
아릿한 몸내에 취할 수 있기 때문이다

내가 늘 바다에 가는 까닭**은
이태백의 도끼를 갈아 바늘을 만드는 머리 허연 노파처럼
먼 바다에서 달려와 물보라 일으키며 부서지는 물결로
알락달락한 조약돌과 조개껍질들을 절차탁마하는
그 여신의 슬프면서도 찬란한 시간의 알맹이들을
심호흡하여 나의 넋에
무지갯빛의 시가 어리게 하려는 소망에서이다

 * 물방울관세음보살. 수월관음보살이라고도 한다.

** "구름이 물었다/요즘 무얼 하고 사느냐고/내가 말했다/미역냄새 맡으며/모래
알 하고 마주앉아/짐짓 그의 시간에 대하여 묻고/갈매기하고 물떼새하고 갯방
풍하고 갯잔디하고/통보리사초 나문재하고 더불어/짭짤한 세상 살아가는 이야
기하며/거나하게 취한 채/먼 바다에서 객기 부리며 달려오는 파도하고 함께 재
주넘고/또 술 한 잔/나 그냥 그렇게 산다/그 하늘 위 그 하늘 아래에 오직 내가
혼자 서 있을 뿐/내 운명의 버거운 짐 누가 대신 짊어져 주랴 하고/노래하며 바
닷가 모래밭에 열어 놓은 나의/길 따라 비틀거리며 출렁거리며…." – 시「나 그
냥 그렇게 산다」전문

아내의 의심하는 눈초리

젊어지는 샘물*이 있다면 찾아가
배가 불룩해지도록 마시고 싶다
여신산女神山의 옥문곡玉門谷
한복판에 있었다는 전설의 그 샘물은
사실은 세상의 모든 꽃들이 다 지니고 있다
요람 같은 그물침대에 누워 흔들흔들 망상과
잠들기를 즐기다가 한순간
내 몸에서 배릿한 향이 난다고 느끼고 환희했다
오래전에 젊은 아내가 목욕시켜 놓은 갓난 아들의
가슴에 코를 대보았을 때 맡아지던 배릿한 향기,
반쯤 우러난 우전차穀雨前茶의 향 같은
나는
노인당에서 돌아온 아내 앞에 정수리를 들이밀며
나한테서 무슨 냄새 나는지 맡아 봐, 했는데
킁킁 냄새를 맡고 난 아내는 나를 깊이 살피다가
도리질을 하며, 아무 냄새도 안 나는데?
내가 다시 물었다, 배릿한 향기 나지 않아?
갓난아기한테서 맡아지는 배릿한 배냇냄새 말이여?
아내는 문득 눈의 흰자위를 확대시키며 내 두 눈을 응시

했다

이 영감 혹시 치매 온 것 아닐까, 의심하는 눈초리로

* '젊어지는 샘물' 이야기가 전해 온다. 늙은 사람이 마시면 몰라보게 젊어진다는
  신비한 샘물…… 그것을 너무 욕심껏 마신 한 욕심 많은 노인은 갓난아기가 되
  어 버렸다고 전한다.

늙은 미망의 벌레

두 눈꺼풀이 처져서 앞이 흐려 보이고
헐거워진 눈물샘 조리개로 인해 눈물이 자꾸 질금거린다
늘 책이 고파서 처진 눈꺼풀을 억지로 치뜨고
책을 펼쳐 들곤 하는데, 눈알이 시리고
글자들이 개미들처럼 기어가곤 하는
그것을 치유하기 위해서는
정원을 거닐며 푸른 산과 쪽빛 하늘을 보고 바다를 보고
얼마쯤의 시간을 흘려보내야 하는데,
이 늙은이를 관리하는 아내는
처진 눈꺼풀을 치올려 꿰매는 수술을 하라고
보채지만 나는 거절하고 거슴츠레한 눈을 고수하는데,
허공이 빈정거린다 네가 무슨 부처님이라고
게슴츠레 반개한 눈으로
시궁창 속에서 피어난 연꽃 세상을 즐기려 하는 거냐
눈물이 질금거리는 것을
중생을 불쌍하게 보는 성스러움이라 망상하는 거냐
이 늙은 미망의 벌레야

처마 끝의 풍경이 슬피 운다

늦가을의 샛바람에 찬비 내리치는데
처마 끝의 풍경이 비명 내지르듯 슬피 운다*
토굴 주인이 열꽃 훤하게 핀 얼굴로 숨을
가쁘게 쉬면서 기침을 자주 하고 있어서
여느 때 몸 비비 꼬는 춤을 추며 선정적인
하늘의 콧소리를 연주해 주곤 하던
토굴 추녀 끝에 걸린 오랑캐꽃 모양새의 까만 풍경이
오늘은 뎅그렁뎅그렁 슬피 운다
문득 겨울 한천으로 흰나비 되어 날아가 버릴지도
모르는 토굴 주인의 얼마 남지 않은 시간을
안타까워하며 처마 끝의 풍경이 슬피 운다

* 추사 김정희의 시 「마당의 복사꽃이 슬피 운다」에서 차운(次韻)했다. "마당의
복사꽃이 슬피 운다./어째서 가랑비 내리는 때에 우는 것일까/주인이 오랫동안
병들어 있으므로/감히 봄바람 앞에서 웃지를 못하는 것이지(庭畔桃花泣 胡爲
細雨中 主人沈病久 不堪笑春風)."

수문포구의 낙조

수문포구의 카페 '시엔 문'의 베란다에서
장엄한 천연색 영화의 절정 같은 낙조를 본다
휘황찬란했던 해가 수평선 너머로 가라앉으며
서편 하늘이 밀감 색깔로 물들기 시작했을 때 나는
아난*이 입적하는 석가모니의 머리맡에 엎드려 울며
물었다는 말을 생각한다
스승님께서 떠나가시면 저희들은 어디에 의탁해야 할까요
해는 가뭇없이 사라지고 온 세상이
주황색으로 타오르다가, 거무스레한 주홍색으로 변했다가
종내는 까만 어둠세상으로 바뀌었을 때 나는
석가모니가 아난에게 했다는 말을 생각한다
우리는 모두 하나하나의 섬이다.
신에게도 악마에게도 의탁하지 말고
내 등불 내가 밝히고 나아가라
내가 몰려든 어둠바다에 에워싸인 섬 하나가 되었을 때
나는 하나의 의혹 속에 잠겨든다**.
석가모니는 왜 '네 등불 네가 밝히'라고 말하지 않고
'내 등불 내가 밝히고'라고 했을까

* 석가모니의 사촌 동생이자 끝까지 수행했던 시자로서의 제자.
** 석가모니가 남긴 유언은 그가 선언했다는 "하늘 위 하늘 아래 오직 나 홀로 우뚝 서 있는 절대고독자이다(천상천하유아독존, 天上天下唯我獨尊)"하고 상통한다.

그것은 꿈이었네

나와 비슷하게 늙어가는 문화재 보수하는 장인을 불러
나의 헌털뱅이 낡은 목조 토굴 굽이굽이에 속속들이
옅은 밤색 방부제 칠을 한 날
밤이 깊어 가고 있었는데
한 비구니 스님이
이 세상에서 더 이상 아름다울 수도
더 이상 깨끗할 수도,
더 이상 그윽할 수도 없는
지상至上의 예술품을 보여 주겠다고
나를 안내한 곳은
거무스레한 황갈색의 반가사유상과
바람벽의 탱화 물방울관음여신상이
진설되어 있는 자그마한 암자였는데
그 스님은 그곳을 무엇으로인지 불을 확 싸지르고*
그곳이 활활 타올랐을 때 그 속으로 거짓말처럼
사라졌는데, 그것은 꿈이었네

* 화두 '파자소암(婆子燒庵)'에서 차운했다. 한 할머니가 암자를 짓고 한 비구 스님의 참선공부를 20년 동안 뒷바라지해 왔는데, 어느 날 할머니는 그 스님의 수도 살림살이를 시험해 보고 나서 그를 내쫓고 암자를 불태워 버렸다는 화두.

열꽃 핀 날 밤

얼굴에 열꽃 피면서
으슬으슬 추운 날 밤에 침실로 찾아온
검은 피부에 암자주색 그림자 옷 입은
저승 심부름꾼에게 묻는다
내 몸에 일어나고 있는 미열,
이게 무엇이요?
검은 입술연지 바른 그녀가 검은 눈을 빛내며 대답한다
해발 몇백 미터쯤에 오르면 고막이 우르릉 반응하듯
이승을 떠날 때가 되었음을 몸이 반응하고 있는 것이요,
사람의 영혼은 나이 들수록
귀 먹고 눈멀어지듯 무감각해지기 마련인데
당신의 육신은 민감하게 반응하네요,
당신의 한겨울로 가는
비 추적추적 내리는 을씨년스러운 늦가을을

수묵화 한 점

머리털이 국화꽃처럼 희고 얼굴에 깊은 주름살 가득한 백수의 노모가 돋보기를 콧등에 걸친 채

바늘구멍에 실 끝을 꿰고 있는데 그 순간의 고요에 숨이 막힌다

저고리의 동정과 옷섶의 솔기가 늘 살갗을 갉아서 싫다고 하던 노모는 가위로

동정을 잘라내 버린 흰 저고리를 뒤집어 입고 처마 끝에 걸린 마른 하늘수박처럼

쭈그러든 유방을 내놓고 있었는데 바늘구멍으로 들어가고 있는 실의 시간이 당신의 영원 아닐까

꽃에 씌어 사는 천기누설자

고재종 시인

일찍이 유럽 쪽에는 한 작가가 시, 소설도 쓰고 문학이론과 평론도 쓰고 거기에다가 사회 및 정치에세이도 쓰는 '멀티 엔터테이너'들이 많다. 그래서 사르트르처럼 한 작가가 사상가로 우뚝 서기도 하고 보르헤스처럼 '20세기 모든 사상의 창조자'로 일컬음을 받으며 만방에 그 해석 및 비평가와 영향력을 거느리기도 한다. 하지만 우리 문단에는 왠지 그런 전천후 작가들이 드물다. 이를 우리나라의 오랜 지배담론이었던 유교 영향 탓이라 여기는 사람들이 있다. 『논어』 팔일편에 "군자는 다툴 일이 없다(군자무소쟁君子無所爭)"고 한 바, 무릇 군자를 남의 영역에 대한 욕심보다는 오로지 자기의 한길에 대한 올곧음을 좇는 도덕적인 존재로 여긴다. 그러다 보니 선비 의식이 강한 작가들에게도 그런 생각이 은연중 스며들어 있어 시인이면 시, 소설가면 소설에만 매진하는 것을 좋게 여기는 것이다.

　이런 현실에서 바쁘나 바쁜 세상에 한 우물 파기도 힘들다느니 또 언감생심 남의 밥그릇에 숟가락을 얹으려 한다느니 하는 소리까지 들어가며 여러 장르를 넘나드는 큰 작가가 나오기란 쉽지 않을 터이다. 그럼에도 고은이나 김지하 등 몇몇 작가들이 엔터테이너적 경향을 보이고, 시와 소설로 양수겸장兩手兼將 하는 작가들도 꽤 있는데 송기원, 윤후명 그리고 오늘『꽃에 씌어 산다』라는 일곱 번째 시집을 상재한 한승원 선생도 이에 해당된다. 문제는 이런 엔터테이너의 필수조건이 그가 넘나드는 여러 활동 중 각 장르마다에서 그 능력의 수일함을 내보여 종합적이고 총체적인 일품의 평가를 이끌어 내야 한다는 것이다.

　이 말은 오늘 한승원 선생에게도 적용된다. 선생의 소설은 물론 지금까지 대한민국의 유수의 문학상이라면 문학상을 죄다 휩쓴 것에서 보듯 이미 의당한 평가를 받았다고 생각한다. 하지만 시들은 이번에 일곱 권째의 시집을 상재함에도 지금껏 제대로 된 비평이 이루어지 않은 걸로 보인다. 이는 소설 쪽에서 워낙 광휘光輝의 성과를 내다 보니 미처 선생의 시에 대해서 논할 기회가 없었던 것이 큰 이유겠지만, 이는 훗날 어느 눈 밝은 평론가가 한승원 문학을 총체적으로 정리하고 평가하면서 올연하게 궁구해 낼 몫이라고 여겨진다. 왜냐하면 선생은 소설가이기에 앞서 천상 시인이기 때문이다. 선생이 천상 시인임을 알 수 있는 것은 무엇보다도 이 시집이 말해 주듯 꽃에 '미쳐' 있고 꽃에 '씌어' 살기 때문이다.

'사건(플롯)과 시간의 추이'를 좇는 소설적 세계에서 얻은 '부정맥', '천식' 등과 '치유되지 않는 고독과 우울병'을 앓는 속에서도 '젊어지는 샘물'이 있다면 찾아가 마시고 싶은데 그 샘물은 사실 "세상의 모든 꽃들이 다 지니고 있다"(「아내의 의심하는 눈초리」)고 하며, 시집 대부분을 꽃에 대한 예찬으로 바치고 있는 선생은, 꽃이라면 갈퀴나물 꽃까지도 좋아한다. 실제로도 선생은 자택인 '해산토굴海山土窟'과 그 주변에서 사시사철 피고 지는 꽃을 소녀처럼 좋아하여 그것을 휴대폰으로 찍은 뒤 몇몇 지인에게 수시로 보내 주는 싱그러운 노고를 멈추지 않는다. 그것은 벌써 망구望九의 연치임에도 멈추질 않고 이를 선생 스스로가 꽃에 씌어 산다고 말하니, 어찌 선생을 꽃의 시인이라고 이름 하지 않을 수 있으랴.

1. 꽃은 삶을 추동하는 에로스의 본체이다

그런데 인생 종반까지 그토록 꽃에 씌어 사는 이유는 무엇일까. 아무래도 꽃을 통해 발견하는 어떤 의미나 진리가 있기에 가능한 일이 아닐까. 아니나 다를까 「나는 왜 꽃을

보면 소가지가 없어질까」란 시를 보면 선생에게 꽃은 삶의
온갖 것이다.

나는 왜 꽃을 보면 열여섯 살 소년처럼

소가지가 없어지고 가슴이 설렐까

나는 왜 꽃을 보면

니체의 차라투스트라를 닮은

도깨비 한 놈을 옆에 끼고 살고 싶어질까

나는 왜 꽃을 보면

아슬아슬한 벼랑의 꽃을 꺾어 수로부인에게 바치며

헌화가를 읊조리고 싶어질까

나는 왜 꽃을 보면

백수광부처럼 술병을 허리에 차고 강을

건너다가 빠져 죽은 다음

임이여 그 강을 건너지 마오,

노래로 불리고 싶어질까

나는 왜 꽃을 보면 해변의 묘지 앞의 폴 발레리처럼

바람에 펄럭거리는 책장 같은 파도를 넘기며

살기 위해 분투하고 싶어질까

나는 왜 꽃을 보면 노을이 핏빛으로 타오를 때

파우스트처럼 악마에게 영혼을 담보하고

또 한 생의 젊음을 받는 거래를 하고 싶어질까

나는 왜 꽃을 보면 포도주에 취하여

프로메테우스처럼 독수리에게 간을 쪼아 먹히고 싶어
　질까

　　　　－「나는 왜 꽃을 보면 소가지가 없어질까」 전문

　꽃을 보면 소가지가 없어져서는 차라투스트라처럼 창조
적 진리를 외치고 싶고, 벼랑의 꽃을 꺾어다 수로부인에게
바친 노인처럼 사랑의 정열을 불태우고 싶고, 물에 뛰어든
백수광부나 해변의 묘지에 이는 바람처럼 죽음을 딛고 삶
의 노래를 부르고 싶고, 악마에게 영혼을 판 파우스트처럼
젊음을 사서 디오니소스처럼 포도주에 취하는가 하면, 프
로메테우스처럼 간을 파 먹힐지라도 인류의 구원을 기원
하고픈 강렬한 욕망으로 설렌다.

　과연 꽃을 어떻게 보기에 꽃만 보면 이런 모든 욕망이 솟
구칠까. 그건 다름이 아니라 꽃을 삶을 추동하는 에로스의
본체로 보기 때문인 듯싶다. 시「은초롱 꽃」을 보면 늙은 시
인이 "꽃의 내부가 환장하게 궁금하여/꽃대를 잡아 올리고
안을 들여다보았는데" 그 꽃의 "여신은 속옷을 착용하지 않
았네."라고 하며 가슴이 쿵쾅거리는 경험을 한다. 스웨덴
의 유명한 식물분류학자 칼 폰 린네를 끌어들이지 않아도
이 시의 주석에 나와 있듯 식물의 꽃은 식물의 생식기에 해
당하는데, 그 생식기를 가장 화려한 색깔과 가장 향기로운
냄새로 치장하여 벌나비를 불러들임으로써 생식 의지, 삶
의 의지를 강렬하게 드러낸다. 이런 꽃이야말로 삶의 생명

력인 에로스의 본체가 아니고 무엇이랴. 그래서 선생은 꽃을 통해 싱그러운 에로티즘과 삶의 꿋꿋한 의지뿐만 아니라 가섭의 염화미소와 같은 종교적 깨침을 얻기도 하고, 꽃을 통해 수많은 시를 직관해 내기도 한다.

더 나아가서 어느 날은 시인 몸 자체가 꽃송이들로 피어나는 장엄을 경험하기도 한다. 산책을 다녀온 뒤 욕조의 따끈한 물에 들어앉아 있는데 살갗의 털구멍에서 아뢰야식阿賴耶識의 싹눈들이 터서 꽃송이가 되고 꽃의 향기가 되어 솟구치고 휘어감는다. 마치 "별들이 잉잉거리며 꿀을 빠는 벌 떼처럼 날갯짓하고/새 우주 만다라가 무지개 같은 시어로 날갯짓하는"(「시의 여신이여 축복해 주소서」) 것과도 같은 이러한 접신의 전율을 통해 선생은 꽃의 여신 곧 시의 여신 위에서 '복상사'를 하고 싶어 하기까지 한다. 그러니 꽃들과의 대화는 어느 때라도 가능한 진경에 빠지는데, 다음 「개똥참외 꽃」이 그 한 예이다.

'달 긷는 집' 모퉁이의 검은 자갈밭에
늙은 주인이 씨를 들이지도 않았는데 자생한
황금빛 개똥참외 꽃이
자기 내부를 들여다보며 신통해 하며 황홀경에 빠진
늙은 집주인에게 볼멘소리로 물었다
당신은 무얼 하는 족속인가요?
늙은 집주인이 겸연쩍게 토설했다

향기와 꿀을 뿜는 네 자궁 속을 들랑거리는 바람도 되고
벌도 되고 나비도 되는 사람 아닌 사람,
시인이라는 족속이다
개똥참외 꽃이 빈정대듯
말하자면 천기누설을 일삼는 족속이네요, 하고 나서
말했다 우리들이 이 자갈밭에서 얼마나 아프고 치열하게
꽃을 피워 내는지 아시오? 우리처럼 시를 쓰십시오
늙은 시인이 발끈하여
너희들이 피워 내는 꽃이란 것은 무엇이냐고
물었고, 개똥참외 꽃이 말했다, 우리도 시를 씁니다
너희들의 시란 무엇이냐는 늙은 시인의 물음에
개똥참외 꽃이 말했다, 우주 만다라를
그려 보이는 것입니다, 우리가 세상의 중심,
세상의 기원임을 설파하는 것입니다

— 「개똥참외 꽃」 전문

이 시에서도 시인은 개똥참외 꽃의 내부를 들여다보며
황홀경에 빠져 있다. 마치 구스타프 쿠르베의 그림 「세상
의 기원」이라는 작품에 그려진 발가벗고 누워 있는 여성의
그윽하기도 하고 악마의 표징과도 같은, 아니 음란하기도
하고 성스럽기도 한 음부를 온몸과 온 마음을 다해서 들여
다보듯, 꽃의 내부를 들여다보다가 꽃에게 들켜 무안을 당
한다. 아마도 늙어 빠진 주제에 무슨 주책이냐는 질책을

당했을 것이다. 그러자 꽃에게 시인은 자기를 "향기와 꿀을 뿜는 네 자궁 속을 들랑거리는 바람도 되고/벌도 되고 나비도 되는 사람 아닌 사람,/시인이라는 족속이다"고 소개하며, 계속 이어지는 꽃의 대답을 빌어 시인을 '천기누설자'라고 명명한다. 그러자 꽃은 자기들도 시를 쓴다고 하면서 자기들에게 시란 "우주 만다라를 그려 보이는 것"이고 자기들이 "세상의 중심, '세상의 기원'임을 설파하는 것"이라고 응수하니, 이 또한 천기누설에 해당하는 말이 아니고 무엇이랴.

천기누설! 그렇다. 시인은 하와가 아담에게 속살거려서 생명나무의 열매를 따 먹게 하듯, 프로메테우스가 제우스에게 천벌을 받을 줄 알면서도 인간에게 천상의 불을 훔쳐다 주듯, 갈릴레오가 종교재판을 통한 감금을 각오하고서도 지동설을 주장하듯 진리를 설파하는 자이고 꽃도 자기들이 세상의 중심, 세상의 기원 곧 에로스와 진리의 본체임을 설파한다. 그러고 보면 시인이나 꽃은 애초부터 천기누설자로서 진리 본체를 들여다보거나 설파하는 자이다.

2. 꽃의 시인은 진리를 드러내거나 설파하는 자이다

이 진리를 향한 시인의 '호기심 어린 들여다보기'는 어렸을 적에도 고향의 친구를 통해 간접 경험한 적이 있다. 다음의 「날아오는 화살촉을 먹는 눈」이라는 시가 그 이야기이다.

해방되던 해의 한여름
이웃 대밭집의 여덟 살 형과 여섯 살짜리 동생은
대나무로 만든 활과 화살을 가지고 아주
특별한 놀이를 했는데,
연통煙筒처럼 말아 놓은 멍석의 어둠 담긴 터널
이쪽에서 형이 쏘면 동생은 저쪽에서 기다렸다가
춤추며 날아오는 화살촉을 주워 형에게 건네는 놀이를
하다가
문득 동생이
"성아, 화살이 어떻게 날아오는지 여기서 보께 쏘아 봐."
그래서 형이 쏘았는데 저쪽 터널 입구에서 들여다보던
동생의 한쪽 눈이 날아오는 화살촉을 받아먹고
이후에 많은 아픔의 세월을 애꾸로 살았는데
동생에게 그 화살촉은 무엇이었을까
어떤 새였을까, 무한 허공을
꿈틀대며 날아다니는 빛줄기였을까
회오리치는 환영幻影이었을까
요즘 자꾸 허공으로부터 알 수 없는 화살촉이 날아오고
내 눈은 그것을 삼키는데, 나는
늘 애꾸가 되어 산다, 알 수 없는 홀로그램 빛살 꿈을

꾸는

– 「날아오는 화살촉을 먹는 눈」 전문

어리던 날 멍석 터널 통 속으로 화살을 쏘고 줍고 하는
놀이를 하다가 요즘 생각하면 '미련하기 짝이 없는' 동생이
화살이 어떻게 날아오는지 보겠다고 터널 반대쪽 입구에
서 들여다보고 있다가 역시 '미련하기 짝이 없는' 형이 쏘
는 화살을 눈으로 받아먹고 평생을 아픔의 장애자로 살아
야 했던 이야기이다. 한데 시인은 '미련하기로 단짝인' 이
형제들의 위험한 놀이를 비판하기보다 '호기심' 하나로 똘
똘 뭉친 그 동생의 무모한 들여다보기를 통해 '진리'라고
이름 할 수 있는 '화살촉'이 과연 무엇이었을까를 묻는다.
어떤 새 곧 자유였을까, 무한허공을 가로질러 온 빛줄기
곧 광명이었을까, 혹은 회오리치는 환영 곧 우주의 판타지
였을까, 그것도 아니면 평생 아픔을 장착한 고통이었을까,
하는 질문들을 해 댄다.

과연 진리란 무엇일까. 진리란 왜 한사코 호기심 혹은
궁금증을 유발할까. 실명한 보르헤스에게 책 읽어 주는 비
서로 일하다가 그 자신도 세계적인 작가가 된 알베르토 망
구엘은 『왜?』라는 저서를 통해 '호기심은 어떻게 세상을 바
꾸었을까'라는 질문으로 인간의 지적 여정에 관한 흥미로
운 이야기를 전해 준다. "왜?"라는 질문을 내뱉는 순간 우
리 앞엔 수많은 가능성이 열린다. 그것은 지식과 진리의

지평을 넓히는 추동력이 되거나 위험한 영역을 욕망하며 금기에 대한 혁파 의지를 드러내기도 한다. 우리는 무엇을 알고자 하는가, 나는 누구인가, 무엇이 진실인가, 우리는 무엇을 소유할 수 있는가, 언어란 무엇인가 등등 많은 호기심과 질문을 인간 군상의 표본이 담긴 단테의 대표작 『신곡』을 중심으로 전개해 가는데, 한승원 선생은 이런 질문을 꽃을 통해서 하는 것이다.

그런데 선생이 꽃을 통한 그런 질문을 통해서 깨친 진실 혹은 진리들은 무엇인가. 그것은 무슨 형이상학적인 것이나 높고 높은 고담준론이 아니라 "나에게서 나온 것은 나에게로 돌아온다"는 등의 일상적이며 본질적인 깨달음이다. 토굴을 짓고 뜨락에 정원을 조성해서 꽃과 초록이 넘쳐나고 이런 것들이 실바람 한 줄기에도 소곤거리며 창문에 수묵화를 그리면 그 그림자를 즐기려고 했던 것인데, 세력지가 헌걸차져서 온 창문을 가려 버린다. 심지어 죽순 하나는 서재의 방바닥을 식인종의 창처럼 뚫고 솟은 적이 있을 정도로 '덧거친 겁박'을 해 대니, 내가 뿌린 씨앗은 내가 뿌린 대로 거두게 되는 것이다.

또 있다. "모든 것은 제 이름을 부르며 논다"는 깨달음이다. 토굴 앞 여닫이 연안바다에 아침 산책을 가서 누군가 모래밭에 희고 알락달락한 조개껍질로 '하늘'이라고 써 놓은 것을 보고 '아마도 그게 제 이름일지도 모른다'고 생각하며 돌아온다. 그런데 갈대밭의 개개비들, 토굴 안에 걸어놓은 목탁 구멍, 욕실 거울에 투영된 내 콧구멍 속의 까만 어둠도 모두들 제 이름을 부르며 노는 걸로 생각되는 것이다. 제 이름 곧 "내치려 해도 내쳐지지 않는/내 몸통 목탁 구멍을 울리는 탐진치貪瞋痴의/슬픈 어둠/미망迷妄" 말이다.

진실로 진실로 사람들이 무상과 무아와 인생고를 말하고 고집멸도苦集滅道의 사성제를 줄기차게 알음한다 해도 돌아서면 순식간에 달라붙는 애욕의 미망은 비 온 뒤 대밭의 죽순처럼 쑥쑥 치솟는 걸 어쩌랴. 인간은 일체가 연기법과 중도에 의해 구성되어 있다고 해 봤자 끝까지 자성이니 뭐니 하며 상相에 갇히고 마는 것이니, 이것이 모두 제 이름이 금강석이라도 되는 양 그것에 영원을 부여하려는 헛된 미망인 것이다.

선생이 꽃을 통해 깨닫는 것은 또 늙음과 함께 몰려오는 병고와 죽음, 그것에 대한 저항과 순응의식이다. 다음의 「부수수한 수염을 면도로 밀면서」라는 시가 그것을 선연하게 보여 준다.

　　부수수한 수염을 면도로 밀면서
　　거울 속의 내 얼굴 여기저기에 핀 저승꽃들을 본다, 이
　것은
　　검은 어둠만 가득한 지하실 계단 아래로의 추락 같은
　　실패와 절망과 좌절의 고통과

무지갯살 같은 성취의 환희가 부단히 부침했던

내 시간의 돌이끼 꽃이다

아니다

얼마 전부터 밤마다 데려갈 시기를 가늠하려고 찾아오

곤 하는

검은 치마저고리 입은 초콜릿 살갗의 저승사자가

부정맥과 천식에 시달리면서도 끈질기게 버팅기는 나를

가엾어 하고 데려갈 때를 잠시 유예하면서

내 얼굴에 입맞춤해 준 갈색 입술연지 자국이다

나의 관리자인 아내는 그게 일종의 피부병이라고

피부과에 가서 뽑아내 버리자고 하지만 나는

이것을 내 삶의 성스러운 훈장으로 간직한다

내 영혼의 사리앙금 같은

꽃을 든 석가모니의 말없는 설법처럼

한 가닥씩 똬리를 틀 때마다 한 송이씩 피어나는

갈색 보석 꽃무늬의 깨알 선시禪詩이므로

— 「부수수한 수염을 면도로 밀면서」 전문

시인 이성복은 인간을 생사성식生死性食의 네 가지 'ㅅ'자
에 허덕이다 가는 비극적 존재로 본다. 삶과 죽음, 먹고(노
동) 섹스 하는(사랑) 것에 평생을 허덕이며 어떤 진리의 사
리 하나도 얻지 못하고 간다는 것이다. 한승원 선생의 이
번 시집에도 생로병사의 실존적 경험의 시들이 즐비하다.

한데 위의 시에선 얼굴에 핀 '저승꽃' 때문에 불안하고 우울해하는 시인이 어느 순간 그걸 "내 영혼의 사리앙금"으로 받아들이겠다는 전복적 의지를 피력한다. 또 「죽음의 씨앗」이란 시에선 "금방 흘린 이팔 소녀의 초조初潮 같은" 연꽃으로 피어 그 연꽃이 지는 것처럼 "나의 마지막도 이렇듯 슬프면서도 곱고 찬란할 수 있을까"하는 고종명의 소망을 피력하기도 한다. 죽음까지도 꽃에게 묻고, 꽃에게 의탁하고, 꽃과 같기를 바라는 시인의 꽃에 대한 사랑은 끝날 줄을 모르기에 선생의 시는 애이불상哀而不傷, 슬프되 정도를 넘지 않는다.

3. 시인에게 꽃은 여신과 하나 되기 위한 매개체이다

시인이 꽃을 통해 에로스를 추동 받고, 진리를 캐고, 시간의 추이를 따르는 인간의 욕망과 죽음의 변주에 대한 대답을 얻어 왔는데, 그럼에도 뭔가 미진하다는 생각이 들지는 않는가. 그렇다. 꽃을 통한 에로스와 진리와 시간과 죽음 의식 너머에 뭔가 더 있지 않고서야 이렇게까지 꽃에 미치고 꽃에 씌지는 않을 것이다. 생의 종말에 처하니 꽃 시절이 좋았다는 투의 평범한 감상을 위해 이 많은 언어를 동원하지는 않았을 것이다. 그럼 무엇인가. 해답을 얻고자 한다면 다음의 「한밤의 수묵화」라는 시를 보자.

한밤에 일어났는데
휘영청 달이 밝았는데

은빛과 금빛이 섞인 가로등의 광망을 배경으로
꽃망울들을 합창하는 요정의 입처럼 터트린
배롱나무의 검은 그림자를
젖빛 유리창에 수묵화 한 폭으로 새겨 주는
내 물방울관음여신의 사랑스런 배려

머나먼 길을 날아와
병이 깊은 늙은 시인을 지켜 주려는
달빛 옷 입은 상아여신의
유향을 가슴으로 읽으며 잠을 설친다

–「한밤의 수묵화」 전문

    휘영청 달이 밝은 한밤에 일어났는데 "젖빛 유리창에 수묵화 한 폭"이 얼비친다. "꽃망울들을 합창하는 요정의 입처럼 터트린/배롱나무의 검은 그림자"이다. 동양의 많은 선비들이 문인화 한 폭을 치기 딱 좋은 구도이다. 한데 선생은 이를 보고 그림이나 글씨는 치지 않고 오히려 그 유리창에 수묵화를 쳐 주었다고 생각하는 "내 물방울관음여신의 사랑스런 배려"와 아울러 휘영청한 달빛을 통해 병이 깊은 늙은 시인의 마음을 밝혀 준 "달빛 옷 입은 상아여신의/유향을 가슴으로 읽으며 잠을 설친다."

그리고 보면 이번 시집에 수시로 출몰하는 존재가 바로 '물방울관음여신'과 '상아여신'이다. 물방울관음여신은 원래 수월관음보살水月觀音菩薩로 물가의 기암괴석 위에 유희좌遊戱坐라고 불리는 편한 자세로 앉아 아래를 내려다보는 모습의 관음이다. 배경에는 푸른 대나무와 수목과 화초가 있고, 발아래로 냇물이 흐르는 가운데 연꽃이 피어 있으며, 한쪽에는 『화엄경』에 나오는 선재동자가 배례를 하고 있다. 선생의 시 「이끼꽃」을 보면 물가의 바위에 핀 바로 그 이끼꽃을 수월관음여신으로 보고 그 여신으로부터 하나의 가르침을 얻는다. 시인은 스스로 그늘을 만들어 그 속에서 그윽하게 살아갈 줄 알아야지 자본과 경쟁하고 그 자본의 상품으로 흥행하면 시가 죽는다는 것이다. 또 선생은 매일 아침마다 여닫이바다의 산책길에 나서서 건강을 다지는데, 「내가 늘 바다에 가는 까닭은」이라는 시에서도 이 여신의 놀라운 가르침을 만난다.

내가 늘 바다에 가는 까닭은
먼 바다에서 꿈틀거리며 달려온 짙푸른 파도의 굽이굽이에
반짝거리는 비늘너울,
달빛너울 옷 입은 물방울여신의 춤을 보기 위해서이다

내가 늘 바다에 가는 까닭은

하얗게 번쩍거리는 고독의 비늘로 방패막이를 한 채

무지갯살을 발산하여 내 영혼을 발기하게 하는 여신의

말 없는 말,

아릿한 몸내에 취할 수 있기 때문이다

내가 늘 바다에 가는 까닭은

이태백의 도끼를 갈아 바늘을 만드는 머리 허연 노파처럼

먼 바다에서 달려와 물보라 일으키며 부서지는 물결로

알락달락한 조약돌과 조개껍질들을 절차탁마하는

그 여신의 슬프면서도 찬란한 시간의 알맹이들을

심호흡하여 나의 넋에

무지갯빛의 시가 어리게 하려는 소망에서이다

-「내가 늘 바다에 가는 까닭은」 전문

여기서 시인이 늘 바다에 가는 까닭은 파도 굽이굽이에
반짝거리는 "달빛너울 옷 입은 물방울여신"을 만나기 위함
인데, 이 구절엔 세 가지 의미가 담겨 있다. 첫째 '물방울
여신'은 예의 수월관음보살이고, 둘째 '달빛너울 옷'은 원
래 중국 중추절의 유래와 슬픈 사랑의 설화로 전해지는 '상
아여신'이 입는 것이며, 셋째 '여신'이라는 말은 원래 동양
이나 불교에서 말하는 보살이나 신령 따위와 같은 서양

의 개념어인데, 이것이 모두 합쳐져 있으니 선생은 하늘과 땅, 동양과 서양의 교융交融과 통섭을 꾀하여 선생만의 삶과 시의 여신을 만들고 그 여신을 통해 시를 점지 받고 삶의 소여를 황홀로 바꾸는 것이다.

그러기에 이 달빛너울 옷 입은 물방울여신은 "하얗게 번쩍거리는 고독의 비늘로 방패막이를 한 채/무지갯살을 발산하여 내 영혼을 발기하게 하는 여신"이다. 이 여신은 "말 없는 말"로 시인을 가르친다. 무릇 태허太虛와 같은 도를 지칭하는 말이 어디에 있을까. 이 여신과의 교감은 이심전심이나 성령술이 아니면 가당치도 않을 터이다. 그럼에도 시인이 "먼 바다에서 달려와 물보라 일으키며 부서지는 물결로/알락달락한 조약돌과 조개껍질들을 절차탁마하는/그 여신의 슬프면서도 찬란한 시간의 알맹이들"을 읽지 못하는 것은 아니다. 그 시간이라는 풍상의 슬픈 이야기 속에서도 영혼에 무지갯빛 찬란한 시가 어리게 하려는 간절하고도 애절한 소망이 눈물겹다.

미국의 신화학자 조셉 캠벌은 그의 『신화의 힘』이란 저서에서 "신화는 이 세상의 꿈이자 다른 사람의 꿈이 아닌 원형적인 꿈이다. 인간의 어머어마한 문제를 상징적으로 현몽現夢하고 있는 원형적인 꿈이다. 신화는 나에게 절망의 위기 혹은 기쁨의 순간, 실패 혹은 성공의 순간에 어떻게 반응해야 할지 가르쳐 준다. 신화는 내가 어디에 있는지를 가르쳐 준다."고 말하며, 신화는 오늘 여기 내 삶의 황홀을 경험하게 해 준다고 말한다.

　나는 선생이 연치에 의한 노년의 무력감과 삶의 의미 없음에 대한 자각 탓에 여신에게 마음을 의탁하고 삶과 시를 신화화 하는 지경으로 나아갔다고는 결코 생각지 않는다. 선생은 이미 「수문포구의 낙조」라는 시에서 석가모니가 입적 전에 아난에게 했던 말을 옮긴다. "우리는 모두 하나하나의 섬이다,/신에게도 악마에게도 의탁하지 말고/내 등불 내가 밝히고 나아가라", 곧 자등명自燈明의 만행을 하라는 것이다.

　활인검의 시, 투망을 하지 않고 별들을 포획하는 시와 삶의 황홀을 얻기 위해 하늘과 땅, 동양과 서양을 아우르고 에로스와 진리, 삶과 시를 하나로 통할하려는 도저한 의지가 '달빛너울 옷 입은 물방울여신'이라는 문학적, 신화적 상징을 만들어 냈다는 것을 눈 어두운 자라도 이쯤해서는 알 수 있을 것이다. 선생의 이러한 크고 넓고 치열한 시와 삶의 고투에 대해 언감생심 나의 둔한 재능이 이러쿵저러쿵 우를 범한 것만 같아 심히 부끄럽다.

꽃에 씌어 산다

초판1쇄 찍은 날 | 2019년 9월 27일
초판1쇄 펴낸 날 | 2019년 9월 30일

지은이 | 한승원
펴낸이 | 송광룡
펴낸곳 | 문학들
등록 | 2005년 8월 24일 제2005 1-2호
주소 | 61489 광주광역시 동구 천변우로 487(학동) 2층
전화 | 062-651-6968
팩스 | 062-651-9690
전자우편 | munhakdle@hanmail.net
블로그 | blog.naver.com/munhakdlesimmian

ⓒ 한승원 2019
ISBN 979-11-86530-77-1 03810